JN290534

ビジネスで勝ち続ける男の思考法

mission & value & vision

A man who keeps winning

村上力 Chikara Murakami

SOGO HOREI PUBLISHING CO., LTD

まえがきにかえて――日本の新しい時代を切り開く人と企業を応援していきたい

新しい時代の到来です。

新しい価値観の下で地球全体が生き直していく時代です。

当然そこで仕事をし、暮らしていく私たちも変わらざるをえません。特に、日本です。日本のビジネス界こそ最も生まれ変わっていかなくてはなりません。戦後の奇跡の発展は、日本の工業力の発達がもたらしたものでした。

〝ジャパン・アズ・ナンバーワン〟と呼ばれた時代も経験しました。しかし、工業資本の時代から金融資本の時代を経て、知的財産資本の時代へと移行する中で、日本のビジネス界の対応が遅れを取り、一人あたりＧＤＰでも世界で十八番目（二〇〇七年）と後退を余儀なくされています。

また地球環境への対策でも世界の中では、日本企業の努力の足りなさを指摘され、批判も強くなりつつあります。

では、日本のビジネス界はもうだめなのでしょうか。

私は、決して、そうは思いません。二十一世紀は、アジアの時代、特に日本のよさが見直される時代と思っています。

なぜなら日本こそが地球環境と共生していくという価値観や生活様式を取り入れてきた唯一の国だと言ってよいからです。

ただ明治維新によって欧米による植民地化を防ぎ、そして欧米に追いつき追い越せといた時代を乗り切るためにしかたなくここまで工業化を進め世界でもトップレベルの産業力を持つにいたったのでした。これからこそが日本本来の強みを見せていく時代となるのです。

私は大学を卒業後証券会社に入り、セールスマンとして証券マン人生をスタートいたしました。しかし、日本だけを見ていては、これからのビジネスはわからないと危機感を持ち、ニューヨークの金融界に飛び込みました。アングロサクソンの金融資本の根本的な考え方やビジネスの進め方を目の当たりにし、日本企業のぜい弱さを痛感したのです。もっと世界の動きを学ばねばと思いを強くしました。

その後日本に戻ってからは、ベンチャー企業の公開のお手伝いや、営業の研修そして新しい企業の構築を多くの企業でお手伝いしてきました。

まえがきにかえて――日本の新しい時代を切り開く人と企業を応援していきたい

冒頭、申し上げたように二〇〇八年というのは世界にとって潮目が変わった年となるように感じます。それは、政治、経済のみならず、文化、教育、宗教、地球環境と我々人類が日常触れている様々なテーマや生活習慣が変化していくことになるでしょう。

今、企業活動に携わる様々な立場の方々とお供していていて一番強く感じるのは、この大きな潮目の変化が生む混乱や不安に打ち勝つ勇気を持ち二十世紀の、羅針盤が効かない大海へ帆を上げる時が来たということです。当然、経験のない流れですから今までにないストレスや苦痛を味わうでしょう。

小生の大切なビジネスパートナーもお一人は他界し、お一人は自殺未遂をされるという悲劇を経験しました。そのような不幸に直面し何も出来ない自分の小ささが身に沁みます。

誠実、実直で己に厳しく他人に優しい、そんなお人柄の方だからこその苦悩が招いた事象と省みます。帯に「たかが仕事だ！」と書かせて頂いた理由です。そんな迷いの時だからこそ、片目つぶって「エイ！　やー！」でオールを漕ぎ始める勇気を持ちたいとの想いから筆をとりました。

慶応大学名誉教授村田昭治先生は、著書『挑むリーダーたちへ』の中で

「二十一世紀は夢とビジョン・デザインを大きく持ちながら、情報の異質性を処理し、企

業の専門性、コア・コンピタンス（中核的競争力）となるノウハウ・技術を具体的に市場と円滑につなぐことをミッションとする、ビジネスプロデューサーの時代だろう」

と語られています。

先に述べた、これから本当の日本的価値を見直しながら新しい時代を切り開く人や企業と共に成長していこうと思っています。

平成二十年三月吉日

村上力

ビジネスで勝ち続ける男の思考法——目次

第1章　おもてなしの心

第２章　成功７カ条

第３章　成功のセオリー

第4章　リーダーシップのあり方

第5章　成功を生む人間力

装丁　冨澤崇（EBranch）

第1章　おもてなしの心

おもてなしとは喜びを共有できることである

私は大学を卒業してすぐ証券会社の営業マンとしての仕事を始めました。

証券会社の営業というと売上げノルマもきつくて、大変な仕事ではないかと思う学生が大半でしたが、私はそうは思いませんでした。なぜなら私は、「売上げを大きくすることはお客様をそれだけ喜ばせていくことである」という真理を、子供のころから体じゅうに沁みこませていたからなのです。

まず母は、私を産む前から、正確に言うと結婚する前から美容室を経営していました。そして今も現役で活躍しています。私は子供のころから、母の仕事ぶりやお客様と接する姿を直接見ることもあったのです。どういう仕事、どんな接客がお客様に喜ばれるのかを幼いころから学んでいました。

小学校高学年のころのことでした。私がたまたま母の美容室にいた時、お客様がいっぱい来られて混み合っていました。

シャンプーを待たれておられるお客様を当時の美容師さんたちが懸命に接客している場面を今でも覚えています。

さらに、母の弟に岩田満長という人がいます。私はこの叔父のことを〝みっちゃん叔父ちゃん〟と呼んでいます。みっちゃん叔父ちゃんは私を幼いころから、まるで自分の弟のように可愛がってくれました。そして鍛えてもくれました。

叔父は、松戸の駅前で割烹「大黒」という日本料理の店を長年経営しています。大黒は、大衆酒屋の雰囲気を持ちつつも、最高の食材を仕入れ、食材を活かした料理を考え抜いて、しかも安く提供することを実践しつづけています。ですから当然、常に満席に近いにぎわいを見せています。

叔父のすばらしさは、よい食材を使い、それをできるだけ安くお客様に提供することだけに満足するのではなくて、その上で、調理場の人たちや接客サービスする女性たち一人ひとりにいかにすればさらに気持ちよくお客様を楽しませるかを考えてもらっているところです。だから、店員の人たちの挨拶も実に心の込もった言葉となっています。

私は今も、時々、この大黒に行って、おいしい料理に、気分のよいサービスを楽しみ、自分の原点は、一期一会のおもてなしの心でお客様の喜びを大きくしていくことなのだということをいつも再確認しているのです。

私が証券の営業マンとして就職した時も、そして、その証券会社でそこそこの営業成績を上げるようになった時も、母や叔父はわがことのように喜んでくれました。

いかにすればお客様が喜ぶのか、それを目ざして自分を成長させていくことです。そして、お客様の喜びがわが喜びとなっていくことなのです。

人格はお客様とのつながりを大事にすることから生まれる

営業という仕事は、仕事の中で最も人間的なものではないかと思っています。

人間は一人で生きていけないものです。ですから〝人と人の間〟を人間と言うのでしょう。どんなすばらしい発明の能力を持っていようが、それを商品に変え、人々に買ってもらえるものにしていくことは、他の人の力があってできます。しかも、それを広く、直接にお客様に手にとってもらい、買ってもらえるにまでするには、営業というお客様と直接にかかわる人が必要となるのです。

社会の文明が進展していき、お客様一人ひとりの情報力や判断力が時代とともに強くなってきた今は、単に、お客様に声をかけるだけでは物もサービスも情報も売ることはできません。

さらに、あなたという人間とつながっていることの〝必要性〟がなくてはならないのです。

あなたとつながっていることで得るものが大きければ大きいほど、お客様は離れることはないのです。そして、そういう営業マンには次々とお客様が増えることになっていくのです。

私が証券の営業マンとして駆け出しのころ、〝伝説の営業マン〟と呼ばれたAさんという N証券の部長に可愛がってもらったことがあります。

Aさんの口グセは、

「人のつながりを大切にしなさい」

ということでした。

営業の成績を最も大きくしていくには紹介営業や口コミ営業の力が大きいことは誰もが知っていることです。

しかし、それを可能にするには、日ごろの人のつながりを大事にすることがなくてはなりません。

人のつながりを大事にするには、こちらの人としての魅力もアップしていかなくてはなりません。そして人間力の向上です。

人間力とは、徳や品性や知恵や情報力の総称です。そして大切なのが、徳とか品性とか言われる部分です。

「自尊心と他尊心は常に同じ高さでなければならない」(喜多川泰著『賢者の書』ディス

カヴァー・トゥエンティワン）

とあるように、お客様を敬い尊ぶ精神から、この人格も形成されるのではないかと思われます。

お昼をご一緒しませんか

私は、人とのつながりを大切にすることから始めると述べました。

しかし、どんなおつき合いも最初は小さなきっかけからだと思います。そのきっかけに自分の魅力をアピールしなくてはなりません。

そしてそのきっかけも、人の紹介や飛び込みの営業などさまざまありますが、一歩でも二歩でも踏み込む努力を心がけなくてはなりません。

私が二十代のころよく使った手は、お昼どきの社長さんたちをねらうことでした。

お昼ごはんの少し前にねらいをつけた社長さんに電話を入れるのです。

会社の社長というのは忙しいものです。お昼も、なにかとビジネスランチなどで空いていないことも多いのですが、たまに空いているときは、社員食堂とか秘書さんに弁当を買ってきてもらったり、出前をとったりします。

私は、それをねらって十一時三十分くらいに、「社長、私、今会社の近くの弁当売場にいるんですが、中華弁当にしますか、幕の内にしますか、それともヒレカツ弁当にしますか。お昼ご一緒しませんか」と電話を入れるのです。

弁当は豪華なものでもせいぜい千五百円くらいです。このくらいの投資は惜しくはありません。また十人のうち二人か三人かは、「おお、村上君か。ちょうどよかった。誰かと一緒に昼めし食べようかと思ってたんだよ」と、行きつけのレストランなどに連れていってくれるのです。

私は、何もお昼にごちそうを食べたいという魂胆から昼どきをねらうのではありません。人は、食事を共にするということは、一つのコミュニティをつくるというか、親しみの度合いを確認するということでもあることを言いたいのです。

人間にとって食事というのは、自らの生存と直結し、仲間や伴侶との関係を強く意識し、固める場でもあるのではないでしょうか。

忙しい社長たちは、夜の食事を共にすることは難しいかもしれません。しかし、お昼ならチャンスがあれば一緒に食べることができるかもしれないのです。こうしたチャンスを自らつくり出すことも大切だと思います。

そして、こうして得られた貴重な時間に、相手を気分よくさせ、食事をおいしく食べられるようにさせる自分の会話力や教養や笑顔を日ごろから磨いておくことを忘れないようにしたいものです。

お客様を喜ばせることは、自分が学び成長していくことである

二十代半ばのころ、日本のいわゆるバブル経済が破たんして、証券界も大変な状況下になっていきました。

それまでは、日本の経済の順調な成長に合わせて、株はお客様に買ってもらえれば儲かってもらえるのが当たり前というものでした。

しかし、バブル崩壊後は、そうはいきません。

私も、証券マンとして、死ぬ思いを幾度も体験させられました。

今でこそ偉そうに自分のことを語る私ですが、一生かけても返すことのできないかもしれない損害を、あるお客様に与えてしまったときは、さすがにこたえました。人生を悩み、死をも覚悟するほどのつらい思いをしました。私の信条はお客様を喜ばすことです。それなのにお客様を悲しませるとは何事だ。お前は何をやっていたんだと自責の念に追い込まれました。

そんな私を助けて励ましてくれたのが、なんと大きな損害を与えてしまったそのお客様でした。

「あなたを信じて損をしたんだから仕方ないじゃないか。また、あなたと一緒に取り戻せばいいことじゃないか」と。

私は泣けてなりませんでした。

「よーし、勉強するぞ。これまで以上に、勉強するぞ。日本がだめなら、アジアがある。そして世界がある。世界を視野に勉強するぞ」と誓いを立てました。

その結果、アジア株のマーケットに目をつけて、見事に、大きく利益を上げることができたのです。そして先のお客様にも恩返しができました。

私は、このような体験から、「もっと勉強したい。世界を学びたい」との思いが強くなりました。

日本の大手証券会社を辞め、アメリカに修行に出ました。

ニューヨークの金融の世界に飛び込み、容赦なくプライドをへし折られてきました。それもそうです。英語も大してできない、証券のことも金融のことも、ウォールストリートの連中から見ると情けないほどの知識だったのです。

でも、私には、未来がありました。それは、ここで苦労して、世界の金融や世界のビジネスの中でもまれることによって、向上心に火をつけ、それを燃やしつづけていくことで、本物の営業マン、本物のビジネスマンになり、お客様を喜ばせるという夢に向かっていくことでした。

私は子供のころから、夢や情熱、向上心を持ってはいるものの、学校の成績は大したことがありませんでした。

しかし、私の売りは、人を喜ばせるためには自分は勉強をやめないし、成長しつづけたいという意欲を失わない〝粘り〟と〝根性〟です。

ニューヨークで私は、新渡戸稲造の『武士道』や西郷隆盛の『西郷南洲遺訓』のすばらしさに気づきました。

「なにくそ、日本男子、負けてなるものか。俺はあきらめずに勉強しつづけるぞ。成長しつづけるぞ。それがこれまでお世話になってきた方々、そしてこれから先のお客様を喜ばせるためではないか」と自分に言い聞かせてきたのです。

私は、お客様を喜ばせることは、自分が学び、成長していくことでもあると信じているのです。

困難を楽しむ人と仕事をしたい

私は今、コンサルティング会社の経営者であるとともに、一経営コンサルタントとして毎日ビジネスの最前線に出ています。私の役割は、クライアント企業の健全な発展に寄与することです。健全な発展のためには、その会社の企業文化が社員たちの人生にとっても大切な生き方の美学とベクトルが合っている必要があります。

これを簡単な表現に言いかえると、社員たちがごきげんな気分で仕事に打ち込めるかどうかということです。ごきげんに仕事できる社風、企業文化を大切にしていくように経営者の方々に具体的なアドバイスをしていくようにしています。

ごきげんでなければ、それは本当のプロの仕事ではないというのは、私の人生の美学の一つでもあるのです。

ひと昔前によく言われたような、「お前は会社のために死ぬことができるか」などの美学は、ちょっとちがうなと思うのです。

もちろん、ごきげんな仕事を貫くうえで、それが討ち死にしても惜しくないくらいの真剣さは持ち合わせています。葉隠武士道の言う「武士道とは死ぬことと見つけたり」との言葉は、決して死を勧めるものではありません。そのくらい真剣に打ち込んでやることを意味しているのです。むしろ、ごきげんの美学に近いのです。

ＷＢＣ世界野球選手権において一緒にプレーするうちにマリナーズのイチロー選手に心酔した福岡ソフトバンク・ホークスの川崎宗則選手は、シーズンオフに短期間の合同練習に参加させてもらっています。しかし、昨年の北京オリンピック出場を賭けたアジア予選韓国戦で、川崎選手が一塁へのヘッドスライディングを試みたことにイチロー選手が怒り、もう一緒に合同練習をしないぞと言いました。

幸い川崎選手の事情説明と反省の言葉にイチロー選手も納得し、合同練習もつづくことになりました。

イチロー選手の言い分はこうです。

プロ野球選手の仕事は、ファンに夢を与えつづけることです。そのためには、ケガをしないようにして、万全な体調を維持し、感動を呼ぶ真剣プレーをつづけることなのです。ヘッドスライディングは、それこそ、見た目は犠牲の精神によってチームの戦意を高揚するようですが、それは本物のチームのムードじゃないのです。選手の体を壊すこと、ケガをして次の試合から出られないかもしれないようなことをほめるようなチームは、よくない企業風土の会社と同じなのです。

野球はもっと楽しく、もっとごきげんなプレーで勝利をめざし、ファンを喜ばすものなのです。

イチロー選手は自分の美学を野球ファンの夢とベクトルを合わせている、ごきげんな超一流のプレーヤーなのです。

誠実は力なり

ビジネスで一番大切なことは何か。それは誠実であるということです。

一時的に成功したり、運よく大きな売上げをあげたりしても、そもそも誠実なビジネス精神が欠けているとするならば、必ず、どこかで大きなつまずきにあうことになります。

二〇〇七年は〝偽装〟という言葉が世間を騒がせました。名門企業が次々と偽装表示などで問題とされました。

これはあくまでも私の推測ですが、偽装表示は、ある程度の企業でこれまでも行われてきていたのではないかと思います。しかし、社会やお客様は、よりビジネスの誠実さを求めてきているため、次々と明らかになってきているのではないでしょうか。

ドイツのマックス・ウェーバーという有名な社会学者が、資本主義の成立はプロテスタンティズムの倫理があって成立する、という論文を発表しました。二十世紀の初めです。それによると、資本主義というのはどこでも成立するのではありません。プロテスタントのように、労働することが神から救済されるための宗教的儀礼であると信じて、誠実に仕事に打ち込む精神が社会の基盤となっていることが求められるということです。

この学説は世界中に広まり、今も大きな影響を与えています。日本では大塚久雄教授が『プロテスタンティズムの倫理と資本主義の精神』（岩波文庫）を翻訳出版されています。その本の解説で、大塚教授は、日本においては幕末における志士たちにその精神、行動様式が見られると分析されました。つまり武士道の精神につながるものと言ってよいでしょう。

藤原正彦さんの大ベストセラー『国家の品格』（新潮新書）で取り上げられ、何度目かのブームとなった新渡戸稲造の『武士道』を読み直して気づいたのですが、新渡戸は、マックス・ウェーバーの本が出る前から、ビジネスには、正直や誠実という倫理が力となるのだと指摘しています。おそらく、マックス・ウェーバー以前からも、このことが欧米社会ではよく言われていたのでしょう。それを学問的に論証したのがマックス・ウェーバーではないかと思います。

新渡戸稲造は、アイルランドの学者レッキーの説を支持し、誠という徳は、その発達の多くはビジネスによるものと述べています。そして、明治期の日本において、商業道徳が欠けている理由、そして今後の見通しを次のように語ります。

「レッキーが、誠はその発達の多くを商工業に負うと述べているのは、まったく正しい。ニーチェが言うように、正直は徳の中でも最も若い、言い換えると、近代産業の養子である。近代産業という母がいなければ、誠は最も教養の高い心を持つ家庭のみが育てられる、貴族生まれの孤児のようなものだった。このような心は武士には一般的であったが、より平民的で実利的な養母がいなかったため、この幼子を発育させていくことができなかった。産業が発達するにしたがい、誠は実践するのが容易な、いや、むしろ利益につながる実益ある徳だということがさらにわかってくるだろう」

日本におけるビジネスの基盤たる精神は、武士道から生まれ、そしてビジネス社会の進展で育ってきた誠の精神だということになるでしょう。

誠を忘れた商品提供や営業、サービスがますますだめになっていくことがわかります。偽装表示問題も、この現象の一つだと思います。

そして、心からの誠実な営業やサービスこそが大きな結果を生み出す力となっていくのです。

誠実なサービス

約十年ほど前にアメリカ、そして日本でベストセラーとなったベッツィ・サンダースの『サービスが伝説となる時』（和田正春訳、ダイヤモンド社）という本があります。今でもとても勉強になるよい本です。

ベッツィ・サンダースは、「本物のサービスを実現するには、お金では買えない、金銭では計れないものを付加しなくてはならない。それはすなわち正直や誠実である」というドナルド・A・アダムスの言葉を紹介しています。そして、次のように述べます。

「質の高いサービスは、誠実であることを評価する企業文化のものでのみ実現されるものです。優れたサービスは、企業が、これこそ顧客が本当に評価してくれるサービスだと確信しているときに、初めて実現されるものなのです。一時的なサービスを企業の核とすることなど決してできないのです」

企業文化の重要性は、私の最も強調することの一つです。これはベッツィ・サンダースの言うように、サービスの分野でも当然当てはまります。

逆に言うならば、誠実であることを評価しない企業文化は、よいサービスも行えないし、お客様にもだんだん見捨てられていく企業になるということです。

では、具体的には、どういうサービスが誠実なサービスなのでしょうか。

それは、お客様の心を感動させるサービスのことです。

そのためには、こちらが心を込めたサービスを行わなくてはいけません。お客様のためになること、お客様が喜ばれることは何かをいつも考えていることです。お客様が欲していることを見抜いて、言われる前にサービスできるということです。

目先の売上げよりも、お客様を喜ばせることが大切だという姿勢です。目先の売上げにとらわれすぎると、より大きな売上げを失うものです。それは、お客様が心が込もってないこと、自分のことより、目先の売上げにしか心が向いていないなと、すぐ気づくからです。

『菜根譚』でも、「誠実・円満に人と接する」ということの大切さに触れています。

「この世の中でうまく生きていくためには、相手の立場や気持ちに心を配り、円満な人間関係を築いていくよう心がけなければならない。そうでなければ、他人とささいなことでぶつかってしまい、思うように物事が進まなくなる」（『中国古典の知恵に学ぶ　菜根譚』洪自誠著　裕木亜子訳　ディスカヴァー・トゥエンティワン）

正直や誠実こそがお金に代えることのできない本物のサービスであり、結局それが、大きな売上げになることを忘れないようにしなくてはなりません。

誠実な営業、誠実な企業文化

誠実さや正直さというのは、ビジネスが育ててきた徳であったことは、これまで紹介してきた通りです。

この正直さや誠実さは、ますますビジネスにおいてのキーワードとなっていくことはまちがいないことです。

P33の左上の図を見てください。お客様から見た企業のブランド力はどうやって構築されていくのかというものです。

①正直さ・誠実をもって、②顧客観察力、③商品・サービス・スキル・情報、④組織営業力を磨き伸ばすことでブランドとなっていくのです。

顧客観察力というのは、どの人が真のお客様となるのか（リアルクライアント）、お客様のニーズとウォンツは何か、お客様の購買のタイミングはいつかなどを観察し、見抜く力です。

〔ブランド〕

顧客観察力	正直さ　誠実
商品　サービス スキル　情報	組織営業力

〔コーポレートカルチャー〕

成長	変革
基盤	可視化

組織営業力というのは、一人のお客様に対して企業の複数の人間が適宜対応できるようにしておくということです。

以上はお客様から見たブランド力の中身ですが、ここでついでに社内で構築していくべきコーポレートカルチャーの中身を考えてみましょう。P33左下の図のようになります。

企業は常に変革していくことで、成長できます。①変革、②成長、できない企業は衰退していきます。では、その変革・成長をどういう組織の構造をとりつつ行っていくのか、またビジネスモデルでいくのか、コアコンピタンスは何なのかが③の基盤です。また、これをコーポレートカルチャーにし、チーム全体の熱（エネルギー）に高めていくには、社内での④可視化が求められるのです。

可視化には、当然、企業リーダーたちの正直さ・誠実さが必要とされるでしょう。正直に、誠実に可視化し、社員に浸透することで真のよきコーポレートカルチャーが構築されていくのです。

以上のように、企業自体のあり方としてもお客様への対応面においても、正直さ・誠実さはビジネスにおけるますます重要な徳となっていくでしょう。

道元禅師の法話を弟子たちがまとめた『永平広録』に、「合水和泥」という言葉があります。これは、自らが水や泥にまみれなければ、溺れている人を助けることはできないという意味だそうです。（『中国古典「一日一話」』守屋洋【三笠書房】参照）

徳とは、自らが最も困難かつ危険な渦中にとび込み、人様のためになる姿勢や行動がもたらすものなのだと思います。

暗記力と営業力

誠実さがビジネス力の決め手ですが、それを支える要素の一つに暗記力があります。たとえば誠実さ、正直さがうれしいとは言っても、名前も覚えられないのであれば、お客様はがっかりするでしょう。

名前を呼ばれて、そして、自分のことに気を使ってくれているのがわかると、お客様はとてもうれしいものです。つい、この人から物を買いたいとか、また来ようかと思うのです。

お客様とお客様をつないであげて喜ばれ、こちらもビジネスが拡がるというのもよくある話です。お客様のビジネスが何であり、何を得意としているのか、何を今求めているのか、探しているのかなどを覚えておくことで、とても役立つ相手を紹介してあげることができます。

私は、様々な分野の企業様とおつき合いさせてもらっているので、日々、誰かしら紹介しています。別に私のビジネス上の利益になることなど考えてはいないのです。結果として、私にとってもビジネスとして成り立つことも出てきますが、それは第一の目的としてはいません。そうでなければ、紹介はうまくいきません。誠実さに欠けることがあるからです。

こうした暗記力はどうやって身につけるかというと、やはり、強い好奇心と、お客様を喜ばせたいという熱い思いです。

名刺をいただいたら、気づいたことをメモすること、ビジネス日記を書くことも有益でしょう。何かと自分の脳や心に刺激を与えておくことです。最近の脳の研究で言われていることは、脳は年齢に関係なく、好奇心が強く、脳をいつも刺激している人は成長しつづけるそうです。

私も学校のペーパーテストは弱いものでしたが、お客様のことやお客様の話などは、よく覚えられるので不思議がられます。

お客様の素敵なところは努力しなくても暗記できるものです。

あなたはガルシアに手紙を届けられるか

私は外食レストランチェーンとのおつき合いもあり、仕事も手伝わせてもらっています。その中のお一人で、「紅虎餃子房」「万豚記」などを展開する際コーポレーションの中島武社長は著書『繁盛道場』（日本経済新聞出版社）の中でこう語られています。

「スタッフの教育のためには、まず志のあるリーダーを育てなければならない。ただし、リーダー1人が志を持っていてもだめなのです。リーダーには、その心構えを他のスタッフにきちんと伝達できるかどうか、能力が問われるのだ」と。

自分でも、時々客としてお店に入ってみて、サービスの内容や接客の様子をチェックします。同時に私が直接関わっていないレストランでも味やサービスを見に行きます。いつも感じるのは店長のしっかりしているところは、よい店となっていることです。やはりリーダーが心からの誠実なサービスを示し、他の店員の人たちにもその心を伝えているかどうかが重要なポイントでしょう。

マニュアルに書かれているサービスしかできないようではだめだということです。しかし、マニュアルを超える仕事は、そう簡単にできることではありません。自分自身でお客様が何を求めているのか、何に感動するのかを考えて行動できる力が要るからです。それをリーダーが模範を示していかなくてはいけません。

ずいぶん昔に書かれた本で『ガルシアへの手紙』（総合法令出版）という短い話があります。十ページ足らずの内容です。エルバート・ハバートというアメリカでは有名な成功法則の著者が書きました。内容は次のようなものです。

アメリカがキューバを支配しているスペインと開戦となりました。アメリカの大統領マッキンレーは、キューバの反乱軍のリーダーであるガルシアに何としても密書を届けなければなりませんでした。そして、選ばれたのがローワンという将校です。

ローワンはマッキンレー大統領がガルシア将軍への手紙を受け取った時、「ガルシアはどこにいるのですか」と聞くこともしませんでした。なぜなら、いくら聞いても現地に行ってみると状況は日々変わっているだろうし、結局、自らの力で探し出さなくてはならないからです。

著者のエルバート・ハバートは、このローワンの姿勢に感銘し、こう述べます。

「この男こそ、ブロンズで型をとり、その銅像《どうぞう》を永遠に国中の学校に置くべきである！」

若い人に必要なのは、学校における机の上の勉強だけではなく、また、あれこれの細かな教えでもない。

ローワンのように背骨をビシッと伸ばしてやることである。

自らの力で物事に取り組もうという精神を教えることである。勇気を教えてやることである。

そうすれば、若い人たちは、信頼にそれこそ忠実に応えられる人物、すぐ行動に移せる人物、精神を集中できる人物となり、ガルシアに手紙を持っていく人物となれるであろう。


このガルシアへの手紙は、著者自身の書いているところによると、一九一三年の時点で四千万部も印刷されたということです。その後も世界中で読みつづけられていることから、いったいどれだけの人に読まれたのか想像もできません。

私も、この小さな本を一〇〇冊ほど親しい経営者の方々に贈らせてもらいました。社員研修にも役立つ内容ですし、経営者にとっても勇気を与えてくれるものだと思ったからです。

ワタミフードサービスの渡邊美樹さんも、社員の人たちへの手紙の中で、この『ガルシアへの手紙』を紹介して、店長の心得を次のように述べています。

「店長にとっての『いい店』それが、ガルシアです。何も聞くことなどありません。店は『生き物』です。日々変化します。街も競合も、お客様も働いてくれるメンバーさんたちも……。であるならば、何も聞かずにガルシアに出会うために『なんとしても』の心を持って、自分の目で確認し、自分で考え、そして行動すればいいのです。すべてが自分の責任です。

『ガルシア』に手紙を渡すために、全力を尽しなさい。『ワタミらしい店』をつくり続けるために自ら考え、自ら行動し、三六五日二四時間戦いなさい。だれにも頼らず、『自分の後ろにだれもいない』の強い覚悟をもって『居場所が変わり続けるガルシア』――変化の中、ワタミらしい店を追い求め続けなさい。それこそがあなたの使命なのです」

（『サービスが感動に変わる時』中経出版）

人に頼らず自らがやるという姿勢のある人にこそ、人はついてくるし、協力するものです。何としてでもガルシアに手紙を渡す人は、何をやっても結局うまくいくし、どこでも歓迎されるでしょう。

一人でも多くの人にローワン（ガルシアへ手紙を渡す人）になってもらいたいと思います。

第2章　成功7カ条

第1条　人が集まるところにいるようにする

人は一人では生きていけないものなのに、いつも他人と一緒にいることはけっこう疲れるものです。ですから、時代が進むほどに、経済的余裕ができるほどに自分一人だけの時間をつくるようになりました。ひと昔前だと、日本では自分だけの部屋を持つ人はそう多くはありませんでした。しかし、今では、逆に自分の個室を持つ人の方が多くなってきています。

また、会社の仕事が終わってからのプライベートタイムも、上司や先輩に誘われてお酒をつき合うという日本的な慣行も見ることがなくなってきました。

私も、プライベートな時間は大切だと思っています。一人になる時間をつくってものを考えたり読書したりして、豊かな心を養うことは仕事のできるビジネスマンに必須の条件でしょう。

しかし、他方で、営業というのは人のつながりの中でしか大きな成果をあげられないものです。また、自分の仕事の能力をすみやかに向上させていくには、自分よりもできる人に学ぶのがもっとも早いのです。

ですから、私は、自分の身をできるだけ人の集まるところに置くようにして、しかも、それを楽しめるようにしようと心がけてきました。

これは、〝楽しめる〟かどうかがポイントです。

人の集まりの中にいる自分を楽しませることは、育った環境が大きくものをいうのかもしれません。いつも自分の家に誰かが来ていてにぎやかな雰囲気の中で育つと、それが当たり前となってしまうためです。

しかし、仮にそうでない環境で育ったという人も、努力すれば、人の集まりの中で自分を大いに楽しませることはできるようになります。そのために必要なことは、自分の魅力をアップさせることです。

例えば、本をよく読んで教養を高めること、英語に強くなって外国人がいても話せること、好感が持たれるおしゃれをしていること、スポーツや音楽の豊富な話題を持っていること、素敵な笑顔を見せること、などは自分の努力でできる魅力づくりです。

自分の魅力が上がると、当然、そこに人が集まってきます。向こうから、あなたと話をしてみたい、あなたとおつき合いしたいとやってきてくれるのです。魅力溢れる人も近づいてきて、そういう人たちとの会話やおつき合いがだんだん楽しくてしょうがないものとなってくるのです。

営業で売上げトップの成績を上げる人や仕事が本当にできる人というのは、こうした魅力溢れる人たちの輪の中で、お互いを高め合い、有益で貴重な情報を共有し合い、その実力をゆるぎないものにしていっている人です。これは、何も生まれつきで決まることではありません。学歴でもありません。自分の意欲、向上心の結果であり、勉強と努力がもたらせてくれるのです。


また、一倉定氏は、その著書の中で次のように述べられています。

「【セールスマンの適格者は、頭の回転が遅く、社交性に欠け、口が重いことである】世に有能なセールスマンのイメージというものがある。それは、頭の回転がよくて社交性に長け、弁舌がさわやかであること、というところが相場である。

ところが現実は全然逆で、右のようなセールスマンは最も不適格である。

こうしたセールスマンは個々の商談には強いかもしれない。しかしそれは、かえってお客様に『してやられた。今度から気をつけよう』というような警戒心を起こさせるような危険がある。だから『押し込み販売』には向くかもしれない。しかし『押し込み販売』は販売の邪道である。

セールスマンの適格者は、頭の回転が遅く、社交性に欠け、口が重いことである。そして真面目で根気強い人間である。…『陰ひなたなく根気強く』こそ、セールスマンに要求される最も大切なものである」（『一倉定の経営心得』日本経営合理化協会）

第2条　全身全霊で人の話を聞く

一対一で会話をしているときはもちろん、人の集まるところにいるときにおいても、人の話を聞くときは、全身全霊で聞くことを心がけるべきです。

人は自分の話を聞いてもらえることが何よりもうれしいものです。全員が自分の話を聞いてほしいわけですから、人の話を熱心に聞いてくれる人は、それこそ貴重な存在なのです。

私は、営業研修の時にも、人の話を聞く力が営業力にもつながるということを強調します。

それこそ〝全身全霊〟で相手の話を聞こう、と提案しています。

それはなぜかと言いますと、前に述べたように、人は自分の話を熱心に聞いてもらえることが一番うれしいことだからというのに加え、その人の一番ほめてもらいたいところ、認めてもらいたいところを見つけるためです。

自分の一番ほめてほしいところ、認めてもらいたいところをピンポイントで攻められた人は、至上の幸福感に酔いしれることになるのです。

このポイントをピタッと見い出すには、全身全霊の聞く力を活用しなくてはなりません。

それほど価値のあることなのです。自分の一番ほめてほしいところ、認めてほしいところを、ほめて、認めてあげる人こそ、「あなたのお客さんになりたい」という人となるでしょう。

全身全霊で人の話を聞き、全知全能をフル稼働させて、相手がもっと聞いてもらいたい話を探しだすように心がけることは、コミュニケーションの大切な要素だと思います。

最後にポール・ティリッヒの言葉をご紹介いたします。

The first duty of love is to listen.　Paul Tillich

愛ある人の第一の義務は相手の話を聞くことである。　ポール・ティリッヒ

第3条　言葉のケチにならない

人をほめることは美徳の一つだと私は信じています。世の中にはケチな人がいて、人をほめるのさえもったいないと考えている人もいるのが人間のおもしろいところです。人をほめるのにお金はかからないのにもかかわらず言葉のケチな人がけっこういるものですから、私のような人間でもトップセールスになれたのではないでしょうか。

私は、相手のよいところをできるだけ見つけてほめるようにしています。

その場にいない人でもほめます。この場合、目の前の人が気分が悪くならない範囲にとどめるのがコツです。もっともほめるのは、直接の相手であることは鉄則と言えます。

しかし、おもしろいもので、本人の前ではほめていなくても、ほめる言葉はプラスの作用があるようで、必ず本人にも伝わっていくもののようです。ひょっとすると、自分がほめた言葉が相手の潜在意識を通して、遠くにいる人の潜在意識にも伝わっていくのかもしれません。

人をほめることを習慣にしていると、ほめる言葉の数も豊富になります。重要なお客様の前でも、自然な形で、ほめ言葉が口に出てくるようになります。

これが大切なのです。人をほめるのは、何もお客様に限ることではありません。同じ会社の仲間や部下の人たち、そして恋人や家族に対しても必要なことです。

愛というのは、辞書的には「個人の立場や利害にとらわれず、広く身のまわりのものすべての存在を認め、最大限に尊重していきたいと願う、人間本来の暖かな心情」（新明解国語辞典、三省堂）となりますが、私は、これを前提として、さらにそれを言葉で表現していくこと、行動で示していくことと考えています。世界的ベストセラーとなった『七つの習慣』（キングベアー出版）の中でスティーブン・コビー博士が述べるように、「愛は動詞である」ということに通じるものです。

愛は、人間社会において、よいものを生み出していく根源の力となるものです。人をほめるということも愛のあらわれです。

インド、ジャイナ教の教えに「他人の善行を心からほめることのできる人はほめられる資格を持つ」とのくだりがあります。

この言葉は相手をほめると自分も元気になることを教えてくれています。

第4条　笑顔は素敵ですか

笑顔は力です。笑顔の素敵な人のまわりには多くの人が集まってきます。そうです。売る力は笑顔力でもあるのです。

英雄の条件の一つは人を惹きつける笑顔があることだと言われています。笑顔を見ると「この人についていったらまちがいのではないか」と思えるからでしょう。ですから営業においても、素敵な笑顔の人に、お客様たちは「この人から買えば安心だ」という気持ちになれるのです。

笑顔は決して生まれつきのものではありません。笑顔は習慣であり、努力によって素敵なものになっていくのです。

アメリカの人気経営コンサルタントであり経営学の教授でもあるトム・ピータースも、ネクラな自分の性格を変えるために、毎朝起きたらすぐ鏡に向かって笑顔の練習をしてきたと述べています。

すると、いつのまにか笑顔が素敵な人だとの評判を得て、人気経営コンサルタントとなっていったのです。

ぜひ、あなたも素敵な笑顔、最高の笑顔を見せてください。

「表面をつくるということは、内部を改良する一種の方法である」夏目漱石
「泣く時は一人だが、笑えば世界も一緒に笑う」エラ・ウィラー・ウィルコックス

第5条　小さな達成記念日を覚えていますか

私は、ネクタイを買うのが趣味です。証券会社の営業時代に、自分の目標を達成したごほうびに買い始めました。

たとえば新規のお客様と契約できたら一本買うというようにしていました。小さな自分への投資です。自分への励ましでもありました。ネクタイが増えていくたびに、「よーし、いいぞ。もっとお客様に可愛がられるぞ」と思えるのでした。

こうしていろいろなネクタイを身につけてお客様にお会いしていると、「おっ、今日のネクタイはあざやかな色で素敵だね」とか、「春らしいね」「燃えるようだね」「ちょっと派手すぎない」などのコメントをもらえるのも楽しみになってきました。そして、お客様の方からネクタイをプレゼントされるようになるのです。このネクタイは大事です。必ず記憶に強くインプットして、次にお会いするときには必ずそれをつけていきます。言葉には出されなくても、自分のプレゼントしたネクタイを締めてくれているということは、とてもうれしいものだということがわかります。グッとお客様と私の仲が近づいていくのです。

今は、若い人を中心にネクタイをしない人も増えてきました。特に夏はそうです。しかし、私はネクタイを一つの大切な営業ツール、お客様と私をつなぐ一本の〝たすき〟のように思っていますので、どんなときでも締めるようにしています。

自分へのごほうびとか、お客様と自分をつなぐものは、ネクタイの他にもあるでしょう。成功へのＴシャツでもボールペンでもマグカップでも自分にふさわしいものを見つけて、それを大いに活用することで、チャレンジを持続させる勇気を取り戻すことができるはずです。

第6条　おいしい料理を食べていますか

食は、人間にとって生きることに直結するもので、言うまでもなく重要なものです。この人間にとって重要な食は、さらに、社会の進展とともに人間の文化、生き方のスタイルにまで高められてきました。

本や芸術、音楽、ファッションなどとともに、文化の一つの大きな要素になっています。特に日本人は、恵まれた自然や海に囲まれて魚貝類も豊富であり、食へのこだわりは世界でも特筆されるべきものがあります。さらに明治以降は西洋や中国の料理をも積極的に取り入れ、これに日本料理との融合によってユニークな料理も生まれてきています。今や日本のポピュラーな料理の代表ともなっているカレーやラーメン、トンカツなどがその例と言えます。また、すき焼きもこれに含まれるでしょう。

寿司や天ぷらは今では世界中に広まり、どこの国に行ってもよく見かけます。特に寿司は全世界の人が好む料理となっています。

セールスの世界において名が知られるほどの人や、伝説のサービスマンと言われるような方たちを見ていて気づくのは、その方たちは必ずといってよいほどおいしい料理にも通じておられるということです。

これは、おいしい料理を提供する店やサービスの行き届いた店などを見つけて、堪能するということは、レベルの高いお客様が何を求めているかを探求することに通じているかららではないでしょうか。自分がお客様を喜ばせるセールス、あるいはサービスをめざしている以上、何が本当においしいのか、そのおいしい料理はどうして提供されるのかに常に関心があるのが必然と言えるでしょう。

かつて、歴史小説の大家であった池波正太郎氏は、若いうちから月に一度くらいはがんばって一流の店に行って一流を味わってみよ、と述べました。それが自分を成長させていく一つの投資なのだということです。一流のものは、直接、自分の口や目や肌で感じて理解しなければ、自分も一流をめざせないということです。

ハードボイルド作家の北方謙三氏も、こうした一流へのちょっとした投資が男の品格を磨いていくものだとおっしゃっています。これは、何もミシュランなどの三ツ星店に通いなさいということではありません。自分の口と目と肌で一流だと感じるものを見つけていけばよいのです。

とりあえずは時々名の通った店に行ってみるのはよいことです。それをやっているうちに自分自身の判断基準が出てくるでしょう。これは、自分の成長とともに変わることでもあります。

一流のお客様というのは、ほとんど一流の料理や一流のサービスをよく知っています。その方たちと気持ちがわかり合えるつき合いをしていくためにも、おいしい料理や一流の店に通じていることは大いに役立つことです。その上で、自分のとっておきの情報を持っていて、求められれば教えられるようになっておくのが理想ではないでしょうか。あくまでもお客様が主役であって、自分はそのお客様の話や要望にうまく対応できるようにするのです。

私は食べることが大好きです。自分にとってのおいしい料理、おいしい店をいつも探求し、自分自身のミシュランを作って楽しんで、時にはお客様とおいしい料理をともにし、幸せを感じているのです。

第７条　美人と賢い人と仲よくしよう

私は美人の女性と賢い人が大好きです。

と言うと、何と不謹慎なとおっしゃられるかもしれません。

しかし、これは論語を勉強したときに「なるほどそうか」と気づいたことです。

論語の中で、孔子の高弟の一人である子夏が言いました。

「賢を賢として色に易えよ」（学而第一）と。

これはどういう意味かといいますと、「すぐれた人をすぐれた人として（それを慕うことは）美人を好むようにせよ」ということです（金谷治訳注『論語』岩波文庫参照）。

論語では、孔子自身も別のところで次のように述べています。

「吾は未だ徳を好むこと、色を好むが如くする者を見ざるなり」（子罕第九）

意味は「わたしは美人を愛するほどに道徳を愛する人をまだ見たことがない」（前掲書参照）。

論語の中で孔子や子夏が言いたいことは次のようなことではないでしょうか。

「人が美人を好きであること、そして美人を愛することは自然の情であって否定できるものではない。しかし、人は学び成長する存在でもある。だったら、美人を好み、美人を愛するように、賢い人を慕い仲よくし、徳を修めることに喜びを感じるようにし、成長していこうではないか」。私流の勝手な解釈かもしれませんが、幼いころより苦労し、女性問題から政治問題までを考え尽した孔子ならではの懐の深い教えであると思うのです。

私は子供のころから可愛い女の子が好きで、今も美人の女性が大好きです。その人たちに気に入られようとがんばってきました。これをエネルギーにして勉強し、立派な男になりたいと努力してきました。

本田宗一郎も言っています。

「やはり男性と女性があり、相手を意識するところからおしゃれがはじまり、芸術にまで昇華し、産業が栄え、文化が進むということになる」（『俺の考え』新潮文庫）。

確か中谷彰宏氏もおもしろいことをおっしゃってました。それは、猿に近い存在だった私たちの祖先のだれかが、目立ってモテたくて二本足で歩行したのが、人類の始まりじゃないか、と。私も、女性が好きで、特に美人は大好きなのですが、論語の教えを励みにして、それだけに済まさないで、それと同じく、賢い人を尊敬し、近づき親しくおつき合いし、人間としての知性や品格や徳を学び身につけて行こうと思っているのです。

第3章　成功のセオリー

成功する場とグループの研究

人間の不思議さは、所属する場やグループによって成功していく人になれるかどうかが決まるということがけっこうあるということです。

ハーバード大学の心理学教授、デビッド・マクレランドによると、「人は所属するグループによって、成功するか失敗するかの九十五パーセントが決定する」とまで言っています。これが何を意味するかといえば、人は生まれついた才能よりも、どのような環境の中にいて、学び成長するかが決定的に重要だということでしょう。

アメリカで成功したベンチャー企業をたくさん生み出したのはシリコンバレーと呼ばれる地域でした。その近くには、スタンフォード大学があって、この大学の卒業生たちが次々と成功していきました。最近でもヤフーやグーグルなどのＩＴ関連の企業がスタンフォード大学に学ぶ学生や大学院生の中から出てきました。

スタンフォード大学は一般学生の数は約七千名で少数精鋭の大学です。しかし、スポーツだけ見ても、オリンピックの金メダル数は、スタンフォードを一つの独立国とすると、その他のアメリカよりも多くなると言われるくらいに優れています。

スタンフォードは相部屋の全寮制で、オリンピックの金メダリスト候補とノーベル賞候補となりそうな学生が共同生活するそうです。

ここに学んだゴルフのタイガーウッズも、スタンフォードにいるとみんなが猛勉強し、成功していくので、自分も当たり前のように勉強しなくてはならなかった、と述べています。

日本の歴史を見てみると、やはり、成功する場とかグループがあるのがわかります。私の尊敬する西郷隆盛と大山巌は、鹿児島の下加治屋町に生まれ育ちました。わずか七十軒あまりの地域に、他にも大久保利通、東郷平八郎、山本権兵衛などの幕末、明治の英勲たちが育ちました。当時の薩摩藩では郷中教育といって、独特の教育が行われていました。

すなわち、「男子は七、八歳から『方限《ほうげん》』と呼ばれる区域ごとに組織されたメンバーの中で厳しい教育を受けるのである。毎日、この『郷中』の集会所に集まり、武芸や読書、そして精神の鍛錬をし、強い団結心と不屈の精神力を養っていった。七、八歳から十二、三歳までを稚児《ちご》と呼び、元服から結婚するまでの十四、五歳から二十三、四歳までを二才《にせ》と呼んだ。西郷と大久保の二人は、この郷中の中でのリーダーとなって、人望を集めていた。そして、このメンバーを中心として日本の明治維新、さらには明治の新国家が動いていったのである」（西郷吉太郎ほか『薩摩のキセキ』総合法令出版）。

他にもよく知られているのが、長州の萩に開かれていた吉田松陰の私塾松下村塾です。ここで学ぶことで高杉晋作、久坂玄瑞、伊藤博文、品川弥次郎、野村和作、山形有朋などの明治維新の英雄たちが育っていきました。

これらの例からわかることは次のようなことです。

①自分の近くに成功者が出ると、それを見て成功への道筋がよく見えてくる。
②真に成功する人は、自分は、次代の社会を担うという気魂の大きな人たちである。成功する人やグループはそれを導いている場やグループである。
③成功者たちは決して一人で成功するのではなく、お互いに影響し合い、刺激し合い、助け合っている。

私たちはこれらの成功事例を参考にして仕事をする場を選び、また、自分のグループをそういう方向のものに持っていくようにしたいと思います。

勝ちぐせ、ヒットぐせのセオリー

世の中を見渡していると気づくのは、勝ちぐせの人、ヒットぐせの人がいて、それはかなりの期間つづくものであるということです。

ですからいったんこの勝ちぐせ、ヒットぐせの波に乗ると、スイスイとうまい具合に仕事が進んでいくのです。

では、この勝ちぐせ、ヒットぐせのセオリーとはどういうものなのでしょうか。

何ごともそうですが、やはり勝つこととヒットを出すのも、まず思いとか意欲です。ヒットがつづく人は、自分も負けずにヒットを出したいし、出せると思い込める人です。そしてそれは、まわりにそういう人がいればしめたもので、ヒットの空気をいっしょに吸っているうちに、自然にそう思えてくるのです。

いちばん手っ取り早いのはマネをすることです。マネをしていると、そこから自分にしかないオリジナルなものがかならず加わります。なぜなら、双子でない以上、完全に同じ人間にはなれないからです。たとえば松下幸之助をいくらマネしても松下幸之助にはなれないものです。美空ひばりのマネをしても美空ひばりにはなれません。人生も中味も違うからです。

以上から、勝ちぐせ、ヒットぐせを身につけるには、すでにそれを身につけている人のできるだけ近くにいるようにすればよいことがわかります。そこに自分のオリジナルの魅力をつけ加えていくのです。

勝負に勝つことやヒット商品を出すということは、歴史の連続性の中に新しい力や視点が加わることでもあります。そこで注目されるのがいわゆる辺境理論です。ヒットや勝利の連続の先には必ずマンネリや停滞が来ます。それを壊すことができるのが、辺境の力です。つまり、ヒットや勝利の連続の上にはあるのですが、そこから人々が待ち望む新しい力や魅力が遠くの辺境から生まれてくるということです。

ですから私たちとしては、勝ちぐせやヒットぐせの近くに、あるいは中にいつも、常に視野を広げ、遠くを見つめ、新しいものを取り入れる勇気もいるということです。

最後に、やはり大切なことは、あきらめずに勝つこと、ヒットを出すことを追いつづけ、努力していくことです。

勝ちつづけること、ヒットを出しつづけるには、こうした経験も忘れずに前向きに生かしていこうということです。

組織を変えていくのは自分から始めよう

人の成功、不成功の九十五パーセントは所属するグループで決まるというデビット・マクラレランド教授の説を前に紹介させてもらいました。

では、ダメな会社や組織に入ったら、もうすぐ辞めて他のところに移るべきでしょうか。これは一概には言えることではありませんが、すぐ辞めてしまうというのはどうでしょうか。

石の上にも三年と言います。せめて三年間自分のせいいっぱいの仕事で挑戦してみるのはどうでしょうか。

挑戦するのは何か。それは、組織を変え、会社を変えて、世間でも認めざるを得ない成果を出すところに変えていくことです。

「新人でありながらそんなことできませんよ」と思われるでしょうが、新人であろうとも仕事は仕事です。プロのビジネスマンには変わりはありません。新人であろうとも、誰にも負けない大きな売上げを出せば、会社も上司も一目置かざるを得ません。それだけの実力を見せられ、会社を儲けさせている社員の話は必ず耳を傾けてくれるはずです。もし、そうでなければ……。

やむをえないでしょう。その時、その会社を辞めることを考えればよいわけです。そしてそこまでにたどりついたその自分の実力は、業界の他社が見逃すはずはありません。必ず見ているものです。お天道様が必ず見ていてくれるのが、日本のありがたさなのです。

組織や会社というものは、人の集まりです。私もその一人なのです。人が動き、変われば、まわりも変わり始めます。まわりの人が変われば組織が変わり始めます。そして成功する人を生み出す組織にさえなるでしょう。

ですから、自分の心がまえとしては、「組織を変えていくのは自分から」というのがよいのではないでしょうか。

天才使いの名人となる

世の中はいろいろな人がいるのでおもしろいと言えます。

私は自他ともに認める凡才ですから、天才の人を見つけると「この人すごい！」と感嘆してしまいます。決してうらやましいとか、その才能に挑戦するぞなんて思いもしません。

では、どうするのかというと、私がこの人の才能を思う存分、どう生かしてあげられるか、を考えるのです。

天才というのは一つの分野において特別に思い入れがあったり、恵まれた才能があったりする人です。しかし、万能な人はほとんどなくて、どこかに欠けているところがあります。そのためにせっかくの天才も生かせないことになるわけです。世渡りもへたな人が多いようです。

たとえば発明の天才がいたら、発明をしていくための研究費や場所を見つけてあげて、そして、その発明したものを商品として世の中に流通させてやらなければなりません。マーケティングをして広くお客様のもとに届くようにしていかなくてはなりません。

私は金融マーケットで商品を拡める仕事を長年やってきましたが、金融理論や商品開発は天才たちに任せて、それを教わり、売ることは私の得意とするところです。

会社経営においても、才能溢れる人たちをうまく配置し、その長所が大いに生かされるようにすることも私のやるべき仕事です。コンサルタントとしての役割に自信を持っています。

つまり天才使いの名人であると自負するのです。

私はソニーの創業者の一人盛田昭夫さんが好きです。経営者としても、営業力、マーケティングにおいても学ぶべき点がたくさんあります。

盛田さんの口ぐせは、

「天才使いは俺にきけ」

だったそうです。

盛田さんの人使いの要諦は、その人の長所を見て伸ばしていくことでした。次のように述べています。

「それには長所をほめ、やる気を起こさせ、達成感を味わわせ、更に難しい仕事に自発的に挑戦するように仕向けるのが一番だ」（『学歴無用論』朝日新聞社）

そして天才については、

「天才には天才を発揮してもらう。角を矯めて天才を削いではならない」と述べていたそうです（若尾正昭『コ・ファウンダーズ　井深大さんと盛田昭夫さん』総合法令出版）。

日本の未来のために、ビジネス分野の活力向上のために、今こそ天才たちを大いに天才ぶりを発揮させられるように、天才使いの名人をめざしていきたいと思っています。

よきパートナーを見つけよう

パートナーという言葉はいろいろな意味に使われます。英和辞典では「①活動、苦労を共にする仲間、②会社などの共同出資者、共同経営者、③ダンス、テニスなどのパートナー、相棒、④つれあい、配偶者」となっています（大修館ジーニアス英和辞典参照）。パートとは部分のことです。この部分を分かち合って一つの〝大きな力〟とすることのできる相手を私はパートナーと呼びたいと思います。単なる一つの部分を補うだけでなく、〝大きな力〟を発揮することになる相手こそが真のパートナーではないかと考えたいのです。

私にも、そうしたパートナーがいます。その一人が高橋佳哉です。二人はまったくタイプのことなる人間ですが、私にない部分を高橋は補ってくれるし、高橋にない部分を私が補って大きな力を生み出しているものと思っています。

高橋と知り合ったのは、ある会社で彼が金融マーケットや金融理論の研究をし、私がマーケティングを担当していたときです。その後、ベンチャー企業の公開のコンサルタント事業を共にやり、今は、私の会社のハート・アンド・ブレイン・コンサルタンティングのパートナーとして活動してもらっています。

高橋佳哉は東京大学法学部からソロモン・ブラザースに入ったエリートでした。金融はもちろん英語や中国古典にも通じている、私からすれば一種の天才です。性格はいたってクールで理論家肌です。

一方の私は、高校時代は山岳部で、大学は東海大学で、ダンス部で活躍しました。大学を出てからはこれまでにも述べましたように、営業マンとして仕事に打ち込み、性格はどこまでも〝情〟の人間です。高橋とはまるで正反対なのです。

こうした二人が一緒に仕事をすることで一＋一が二ではなく、十にも百にもなっていくようです。

まったく異なるタイプの二人が組むことによって大きな仕事をした例はたくさん見ることができます。

歴史で見ると西郷さんと大久保さんです。

他にもホンダを創業した本田宗一郎さんと藤沢昭夫さんです。オートバイ、車の開発に炎のように燃える本田さんと、財務やマネジメントでそれを支えた藤沢さんのパートナーぶりは見事でした。

さらには、ソニーの創業者である井深大さんと盛田昭夫さんです。愛にあふれる井深さんの夢を、盛田さんが情熱と行動力で実現していくという関係でした。

どんなに優れた人も、一人では大したことはできないのです。やはり、人はよきパートナーがあってはじめて自分の力が何倍にも生かされるということでしょう。

ぜひともよきパートナーを見い出して大きな力を発揮していきましょう。

いつまでも伸びてゆく組織

日本人ビジネスマンの必読の書の一つに藤本隆宏著の『日本のもの造り哲学』（日本経済新聞社）があります。著者の藤本氏は、技術管理編、生産管理論を専攻されている学者で、現在は東京大学で教えるほか、ハーバード大学ビジネススクールの上級研究員もなされています。

この本の中では、トヨタがなぜ強いのかを詳しく論証されています。日本経済が行き詰まりを見せる中でのトヨタの止まることのない進撃は、日本人こそよりよく学ぶべきではないでしょうか。

藤本氏は、トヨタは総合的に見て、企業競争力では世界一であると結論づけられています。

すなわち「特定時点、特定種目ではトヨタに優る企業もありますが、総合的に見れば、二十世紀終盤から二十一世紀初頭にかけて、トヨタ自動車は、総合的な競争力と財務的な安定性において群を抜いた企業だったと言えますし、その勢いは今も続いています」と言うのです。

そのトヨタの強さの神髄を藤本氏は次の三つに要約されています。

第一は、トヨタ生産方式に代表される生産、開発現場の「統合能力」です。これは、毎年毎年、五百万台の車を安定的に高い生産性や品質で繰り返しつくる能力です。

第二は、生産性や品質を継続的に向上させる「改善能力」です。トヨタでは何と毎年百万件近いレベルで改善活動を行っています。しかも非常に定型化された〝ＱＣストーリイ〟のような改善手順に従って、全員参加で改善活動を進めていることがよく知られています。

第三は、以上のような組織能力そのものを長期にわたって進化させる学習能力である「進化能力」です。トヨタの有名な〝かんばん方式〟や〝改善能力〟がどうしてできてきたのかというと、トヨタは他の会社に比べて、ルーチン的な能力に優れていると言わざるをえません。これを進化能力ととらえているのです。

藤本氏は、この三つの中で、トヨタの一番根っこにあるコアコンピタンスは三番目の進化能力だと言われます。そして進化とは結局、「とにかく結果的にしぶとく生き残る、という非常に泥臭いプロセス」と表現されています。これが〝トヨタ・ウェイ〟であろうと。

私は、この進化能力は、トヨタの企業文化ととらえてもよいのではないかと思います。

私の会社案内にも引用させてもらいましたが、トヨタ自動車とGMが合併会社を設立したときの両社の社員の企業文化のちがいを、元マッキンゼーコンサルタントの綱島邦夫氏が次のように述べておられます。

「一緒になってみると、企業にとってマイナスになる問題を発見した時、トヨタ社員とGM社員は全く違う反応を見せた。GM社員は問題を隠そうと青ざめ、逆に、トヨタ社員は問題を見つけて喜び、元気になったのである。この背景にはトヨタが確立した、トヨタを象徴する企業文化がある。トヨタ社員が『問題を見つけて喜び、元気になった』理由は、それが問題の改善につながり、ひいては収益の改善になるからである。逆に問題が見つからないとトヨタ社員は心配になるという。これこそがトヨタの企業文化であり、両企業の後々の成長度合いを顧みると、いかに企業文化が増収、増益に影響を及ぼすかという見本のような事例である。

この事例に見られるような企業文化の違いから、今現在、トヨタにおいては〝第3次トヨタ黄金時代〟と言われ、一方のGMは販売高が回復せず、その建て直しが急務となっている」

（『社員力革命』日本経済新聞社）

私は、このような企業文化こそが企業が成長しつづける、いつまでも伸びつづけるかどうかを決定づけるものだと見ています。

そしてこの企業文化を診断し、トヨタのような競争力の強い、安定した企業になるための企業文化を構築していくお手伝いもしています。

私はこれをＣＰＣＣ（Creating net Profits of Corporate Culture）、利益創造力診断テストと呼んでいます。

ぜひとも第二、第三の、いえ、たくさんのトヨタのような会社をこの日本に育てていきたいというのが私の願いなのです。

仕事を楽しくする企業文化

人生と仕事は楽しまなくてはならないと言ってきました。

仕事が楽しくない人の特徴は次のようなものです。

①遅刻する
②元気に「おはようございます」が言えない
③感じよく「ありがとうございます」が言えない
④何か暗くてブスッとしている
⑤偉そうにするのが好きである
⑥仕事に責任感がない
⑦給料日だけ元気にしている
⑧終業間際になると、帰ることだけ考えてそわそわする
⑨チーム、組織、会社の未来より自分の給料が気にかかる
⑩部下の面倒を見たり、後輩の指導をすることができない

こういう人には共通項があって、仕事がつまらないと思っているのです。おもしろくしようという意欲も出しません。

では、仕事がおもしろいという人はどんな人か。それは次のような人です。

①前向きに努力する自分が好きある
②仕事のできる人が好きである
③時間は守り、約束も守る。責任感がある
④明るくて、人の世話も好きだ
⑤夢と目標をしっかり持っている

こういう人は仕事の成果を出すことが喜びであり、チーム、組織、会社、社会をよくしていきたいと願う人です。こういう仕事を楽しくする人こそ、社会の宝物と言えるでしょう。

このように仕事については楽しい人と楽しくない人に分かれるのですが、マネジメントやリーダーとしては、会社を「仕事を楽しむ人」の集団にしていく必要があります。仕事が楽しくない人の集まりでは企業は衰退するばかりだからです。

では、どうすればよいのでしょうか。

それは、私が『サーバントリーダーシップ論』（宝島社）で主張したように、従業員を尊重し、その成功を支援するリーダーたちが組織をマネジメントするということです。

言い換えれば「ガルシアに手紙を届ける人」を尊重し、支えていく企業文化をつくっていくということです。

〝伝説のサービス〟と呼ばれた百貨店のノードストロームは、就業規則は一つしかありません。

「どんな状況においても自分自身の良識に従って判断すること」

です。

創業者のジョン・ノードストロームが書いたという従業員への言葉を紹介しておきます。

ノードストロームへようこそ

私たちは、皆さんを当社にお迎えできて

本当に嬉しく思っています。
当社の最大の目標は、
お客様にサービスを提供することです。
皆さんには、個人として、またプロフェッショナルとして、
高い目標を持っていただきたいと思います。
私たちは、皆さんにはそれらの目標を達成する能力があると
確信しております。

ノードストロームの就業規則
どんな状況においても
自分自身の良識に従って判断すること。
それ以外にルールはありません。
質問がありましたら
専門マネジャー、ストア・マネジャー、
地域担当ゼネラル・マネジャーに

遠慮なくおたずね下さい。

まさに、私の書いた新しいリーダーシップのあり方を、昔から実践し、成功してきたという事例です。

こういう企業文化の中に、仕事を楽しいと思える人たちが集まり、成長していくのです。

ミッション・バリュー・ビジョンの大切さ

どんなに優秀な経営者であろうと、また、凄腕のセールスマンであろうと、一人の力というのはたかが知れています。

人間社会が長い歴史の中で気づいたのは、組織で動くことで一人の力が足し算ではなく掛け算のように大きな力をつくり出すということでした。

会社は、その長所を取り入れて考え出された組織形態です。

ただ、会社の中にあっても、組織の力が一人ひとりに生かされているところとそうでないところの差が大きくあります。

それを分けるのが①ミッション、②バリュー、③ビジョンなのです。

ミッションとは、会社の社会的な意義、目的を明らかにし、示すものです。

社会に役立つものをつくり出し、提供していくのだという組織の目標は、そこで仕事をする人たちにとっての誇りと自信になります。

まだ売れるかどうかもわからないものを作り、販売する動機ともなります。たとえ今日は売れなくても、もっとお客様にわかってもらえるよう努力すれば、明日は売れるにちがいないという希望にもなるでしょう。商品やサービスの開発、そして営業活動においては失敗はつきものなのです。百戦百勝の仕事やセールスはいまだかつてないのです。エジソンだってどれだけの失敗があって発明に成功したのかわかりません。

このように、組織における「ミッション」は、失敗を恐れず明日に向かって奮い立つ勇気の源です。人が組織をつくるのは、「凡人が集まって非凡なことを成し遂げるため」です。そのための勇気がミッションから出てくるのです。

バリューの役割

バリューとは、組織の行動規範であり守るべき価値のことです。これは、組織のミッション遂行のためのルールと言ってもよいでしょう。

また、バリューは、戦略や戦術を立てて実践する際の言わば〝憲法〟です。人はやれることが多いものです。ウソをつくこともできるし、誠実に接することもできます。積極的に動くこともできますし、簡単に怠けることもできます。組織も同じようにやれることはたくさんあります。その中で、やれるのにやらないことを決めることがバリューなのです。

たとえば「顧客第一主義」を唱える企業はたくさんあります。しかし、この言葉を掲げるだけでは組織にバリューとして伝わらないでしょう。会社の利益や利便とお客様の利益や利便が対立した場合には、必ずお客様の利益、利便を優先することが顧客第一主義の中味です。このようなお客様の利益、利便とお客様の利益、利便が対立するたびに、その企業のバリューが問われるのです。

アメリカの百貨店、ノードストロームの神話にまでなったサービスはよく知られています。

ノードストロームは、どんな商品でも理由を問わず返品を受けるというバリューがあります。このバリューを試そうと、ある人がタイヤを転がして返品を求めたのです。ノードストロームはファッション製品の専門店であって、タイヤなど取り扱っていません。その結果はどうだったでしょうか。

ノードストロームの店員はタイヤの価格をたずね快く返金したというのです。この神話が本当かどうかを確かめようと、多くの人がいろいろな物を返品したりもしました。しかし、結果は同じです。この顧客第一主義のバリューが従業員やお客様にも周知徹底されて、ノードストロームへの信頼は絶大なものとなっていったのです。

このように、企業の社会的な特徴を決めるのはバリューです。バリューがすばらしいから仲間になる、顧客になる、取引先になる、社員になるというようになります。

また、バリューは企業文化の源でもあります。とにかく問題に向かってチャレンジしていくのか、チームワークを大切にするのか、信頼し合うのか、お客様の利益、利便を考えているのか、など、バリューは日々のルールですから、当然、長い間に企業の文化となっていくのです。

ビジョンの役割

ビジョンは会社の大きな目標であり、将来展望のことです。

そもそも目標を持たない組織は、海図のない航海のようであって、どこに向かっているのかもわからず大海をさまようだけの存在となります。

ミッションはあくまでも組織の社会的な目的・意義であって、組織のめざす目標ではありません。

いつどのような組織になるのか。それを宣言することによって、組織のめざすべき目標が決まります。売上げをどうするのか、どんな商品を開発するのか、社員数をどうするのか、日本一や世界一をめざすのか、それを決めるのがビジョン（目標、将来展望）なのです。

企業においては三年から五年ぐらいのビジョン・目標を立てる例が多いようです。

このビジョンについて参考になるのがピーター・ドラッカー氏の勉強法です。

世界中のビジネスマンに影響を与えつづけてきた経営学者のＰ・Ｆ・ドラッカー氏です

が、どのように勉強してきたのでしょうか。自身の勉強法について語った著作はあまり見られません。

その中でも比較的詳しく述べられているのが、ジャック・ビーティー著／平野誠一訳の『マネジメント発明した男　ドラッカー』（ダイヤモンド社）とドラッカー氏と中内㓛氏（ダイエー創業者）との往復書簡集『挑戦の時』『創生の時』（上田惇生訳／ダイヤモンド社）です。この本の中で述べられていることは、『プロフェッショナルの条件』（P・F・ドラッカー著／上田惇生編訳／ダイヤモンド社）に要約されています。

これらの本から、まとめてみると、ドラッカー氏の勉強法は次の四つのことを大事にしています。

第一に、「生涯の目標とビジョンを持ち、それを追い求めつづける」ということです。

これは、ドラッカー氏が一八歳のとき、ヴェルディのオペラを聴いて感動したことがきっかけでした。オペラを聴いた後、ドラッカー氏はこんなすばらしい曲を作ったヴェルディはどんな人物かと、すぐに調べたそうです。すると、この曲は八〇歳のときの作品で、ヴェルディは次のように述べています。

「音楽家としての全人生において、私は常に完全を求めてきた。そしていつも失敗してき

た。私には、もう一度挑戦する責任があった」（『挑戦の時』ダイヤモンド社より）

ドラッカー氏は、この言葉から「いかに歳をとろうとも、決してあきらめずに、目標とビジョンを持って自分の道を歩きつづけよう、そしてその間、失敗しつづけるに違いなくとも、完全を求めていこう」と決めたのです。

第二に、「三年または四年ごとに新しいテーマについて勉強する」ということです。ある期間、一つのことに集中して勉強するのです。これによってたくさんの知識を仕入れるだけでなく、新しい体系や新しいアプローチ、新しい手法を手にすることができるのです。勉強したテーマのそれぞれに別の前提や過程があり、別の方法論があるのです。

第三に、「目標ややるべきことを紙の上に書き留める」ということです。

これはドラッカー氏自身が、三、四年ごとに研究するテーマの一つとした、中世における「イエズス会」と「カルヴァン派」から学んだのです。なぜこの二つの会派が伸びたかといえば、「何をなすべきか」「結果はどうであったか」を常に書き留めていたからだったそうです。これにより、「何かについて、どのように改善する必要があるのか」「自分ができないこと、したがってはならないこと」を教えてくれるのです。

第四に、「毎年の決めた時期の一年間の反省をチェックする」というものです。

ドラッカー氏はこの方法を、若いときに働いたフランクフルトの新聞社の編集長から教わったといいます。それを一〇年後に思い出してから、毎年夏に二週間の自由な時間をつくり、一年間の反省をすることにしたといいます。「集中すべきこととは何か」「改善すべきことは何か」をです。

以上から、組織のビジョン（目標、展望）に参考になることは次の四つです

1. 組織の目標とビジョンを立て、決して忘れない
2. 三年ごと（四・五年ごと）に新しい目標を立てる
3. 目標を明確に示し、紙の上に書く
4. 毎年、決めた時期にチェック、反省をする

一倉定氏も次のように述べておられます。
「目標はその通りいかないから役に立たないのではなく、その通りにいかないからこそ役に立つのである。

目標とは、手に入れたい結果である。だから、その通りにいくことが望ましいことはいうまでもない。

しかし、現実にはその通りいくことなど、まれにしかないのだ。それを、望み通りにならないから目標を立ててもムダだというのでは、話にならない。難しい企業経営の舵取りなどできるものではない。…

目標と実績の差は、客観情勢のわが社に及ぼす影響を量的に知らせてくれるものである。別の表現をとれば、客観情勢をどれだけみそこなっていたかの度合いを表しているものなのである。見込み違いが分かってこそ、正しい舵取りができるのである。だから、目標はその通りいかないから役に立たないのではなくて、その通りいかないからこそ役に立つことを知らなければならないのである」（『一倉定の経営心得』日本経営合理化協会出版局）

グロース・マインド（進化しつづける文化）を持つ

ミッション・バリュー・ビジョンがしっかりとしているところの組織には強いものがあります。

永く繁栄している企業は、このミッション・バリュー・ビジョンが組織全体に浸透し、そして引き継がれていきます。

しかも、経営者が何人変わろうと大きな利益をあげつづけ、常に顧客満足度も高く、よいブランドイメージを持たれています。これまでにも紹介してきたトヨタやノードストローム、そして３Ｍやサウスウエスト航空などです。

以上のようなミッション・バリュー・ビジョンに加えて、組織の健康度を判断するうえで欠かせないのが、グロース・マインド（進化しつづける文化）の視点です。ミッション・バリュー・ビジョンを企業全体がよく共有しているところは、グロース・マインドの企業となるとも言えるでしょう。

グロース・マインドの組織のわかりやすい例としては、高校野球の夏の甲子園大会で優勝するチームのようなマインドです。あるいは、ＮＨＫの「プロジェクトＸ」に登場した人たちのような組織です。

グロース・マインドについて、私は次の５つの項目に分類して、企業診断をやっています。

１．目標達成

達成することは確かに難しいことだが、現実的な目標が設定されており、それを達成するために仕事に情熱をもって取り組んでいる。メンバー同士の意見交換も活発である。

２．自己実現

仕事の目標を達成することと共に、自分自身も成長していくことに価値を置いている、メンバーは仕事を楽しみ、自己開発を図っていく。

３．持続的成長

全員参加型、従業員重視の管理スタイルをとる。メンバーは互いに支え合い、助け合うことが期待されていて、人の助言や考え方にも理解を示す。

4．有機的提携

人と人との建設的な関係に価値を見出している。メンバー同士が友好的に楽しく付き合うことが期待されていて、積極的な情報や意見の交換が行われている。

5．危機意識共有

チームとしての結束力が強く、しかもリーダーの求心力が強い。いざというときに個人の能力の足し算以上の能力を、組織として発揮することができる。

私のこうした企業診断法を導入されて、ますますグッドカンパニーの道を進んでいるのが、濱口泰三社長率いる伊藤忠食品株式会社です。創業一二〇年という伊藤忠食品は、濱口社長が就任された当時は少し保守的で、単一的な企業文化だったようです。そこにグロース・マインドの強い濱口社長が就き、「挑戦と変革」を掲げられています。次のように述べられます。

「もっと良く、もっと良く、という前向きなマインドですね。サッカーでいえば、高校からＪ２に行き、Ｊ１に行き、アジアで勝ち、ワールドカップに出場する。上手くなりたい、強くなりたい、勝ちたい、そんな気持ちを持っていることが会社として正しいことではないでしょうか」

グロース・マインドの塊のような濱口社長はいつも楽しそうに仕事されています。仕事は子供が砂場で無邪気に遊ぶのと同じように、楽しくてしょうがないと言われ、また、仕事の取り組みについてこうも述べられています。

「新しい仕事を開拓していくことも楽しいことです。しかし、既存の仕事にも新しいことはたくさんあるはずです。お客様からこういう風にしたい、こういうものが欲しい、こういう風に変えていきたい、と言われたとき、感受性がどこまであるかが大切ですね。しっかり受け止める感受性とそれに対応するマインドがあれば、みんないつも楽しいんじゃないでしょうか」

グロース・マインドの人、グロース・マインドの組織は楽しくて、強くなっていくと言えるのです。

シュートの打ち方

日本のサッカー、特に国際試合を見ていて思うのが、シュートが少ないなあ、ということです。シュートは打たなければ得点にもならないわけですから、とにかくシュートを打ってほしいと私たち素人は思うわけです。

では、なぜ日本のサッカー選手はシュートを打てないのでしょうか。

それは、シュートを打っても入らないのがわかるからなのです。つまり、相手のディフェンスによってゴールへの道筋がふさがれてしまっているのがプロの自分には見えてしまうのです。

シュートを打つためにどうすればよいのか。それはチーム力を上げていくしかないのです。シュートを打つストライカー一人では何ともしようがありません。ロナウジーニョ一人がいくら天才的プレーヤーでも、他の選手が素人のような者ばかりだったら、シュートを打つまでに持っていくことはできないでしょう。

先ほど述べましたミッション、バリュー、ビジョンを持ったチームが一体となって戦い、その下で鍛えられた選手たちが、考え抜いた戦略、戦術の下に働き、そして、シュートに結びつきます。このミッション、バリュー、ビジョンはチームごとにちがうでしょう。

ブラジル代表チームを例にとってみましょう。ミッションは、サッカーを通じてブラジル国民に誇りと勇気と喜びを与えることでしょう。

バリューは、ブラジルのサッカーを見せること。優れた個人技で攻撃し、それを支える組織プレーで世界一の誇りを示す試合をすることではないでしょうか。

ビジョンは、常にワールドカップで世界一になること、世界ランキングで一位であることでまちがいありません。

こうしたミッション、バリュー、ビジョンのしっかりしたチームの中で選手個人は努力、成長し、そのチームの一員であることに誇りと幸せを感じるのです。そしてチーム全員がミッション、バリュー、ビジョンを共有してチーム力があがっていくのです。

こうして生まれたシュートは、一本一本に意味があります。はずれてしまった場合は何が原因なのか、どこを修正すればよいのかがすぐわかるのです。はずれたシュートが次のシュートへの先生となるのです。失敗が生かされるということです。

これを仕事の面で考えると、シュートは数多く打つべきだと一般論としては言えますが、その前提として、必ず、ミッション、バリュー、ビジョンを組織として確立させておかなくてはなりません。

さらに、これは、私たち一人ひとりの人生にも当てはまります。前に紹介したピーター・ドラッカー教授の勉強法や、スティーブン・コビー博士の『七つの習慣』を読めばわかるように、自分の人生のミッション、バリュー、ビジョンを持つことが有益なのです。その上で多くのシュートを打てば、日々成長しつづけ、楽しく仕事に打ち込んでいきながら、大きな目標を達成することができるのです。

学習する組織、学習する人

ＣＥＯとしてＧＥを世界一の企業に導いていったジャック・ウェルチの口ぐせは「学習」です。

「学習すること、学習するということがすべてだ。我々はこの原則なしでは生きていけない」と言いました。

そして、組織についてもこう述べています。

「多角的に事業を展開している企業にとって、オープンで学習する姿勢を持つ組織になるということがいかに重要なことか、我々はすぐに気がついた。競争に勝つための究極の武器は、学習する能力と、学習したことを取り入れてすばやく行動に移す能力だ。その武器は様々な方法で開発することができる。例えば偉大な科学者から学ぶ、りっぱな経営実績からあるいは優秀なマーケティングの達人から教わる、といったことだ。しかし、新しく学習したことをすぐに身につけて活用しなければ意味がない」（『ウェルチ』ロバート・スレーター著／宮本喜一訳／日経ＢＰ社、『ジャック・ウェルチ　わが経営（上・下）』ジャ

ック・ウェルチ＋ジョン・Ａ・バーン著／宮本喜一／日本経済新聞社参照）

ここで、学習とは、学校の勉強と同じではありません。仕事についての学習ですから、お客様を喜ばせるためにどうするか、より組織の力を増すにはどうするかを日々改善、工夫していくことです。学校時代のテストで優秀だった人が仕事でも優秀とは限らないのです。

このように、仕事は、改善、工夫という学習の連続です。ただ漫然と同じことをくり返すのは、本当の仕事とは言えません。

そもそも、資本主義の精神はマックス・ウェーバーによると、「労働それ自身を尊重する、目的合理性を持つ、利子・利潤を倫理化する精神」です。（小室直樹著『資本主義のための革新』日経ＢＰ社、マックス・ウェーバー著／大塚久雄訳『プロテスタンティズムの倫理と資本主義の精神』岩波文庫参照）。

つまり一心不乱に自分の仕事に集中して利益を上げていくことに喜びを感じなければならないのです。マックス・ウェーバーは、これを「行動的禁欲」と呼びました。

さらに「資本主義の生命は、イノベーションにある」と経済学者シュンペーターは指摘しています。シュンペーターによると、「イノベーションは創造的破壊であり、今までの生産のやりかた、秩序や慣行を破壊して、生産要素の新結合の仕方を改めること」であると言います。

小室直樹氏は次のように述べます。

「資本主義の生命は革新にある。革新が出なくなれば、利子、利潤はゼロになって資本主義は社会主義化し、やがて滅亡するだろう。この真理が身に沁みて感じられる者が革新（ベンチャー）に成功して資本主義のライオン（百獣の王）となる。企業の規模は、今や問題ではない。過去を忘れ無視し、今までと全くちがった新機軸を創始し、やりぬく実行力のある企業者の試行錯誤（トライ・アンド・エラー）こそがポイントなのだ」（『資本主義のための革新』日経ＢＰ社）

敗戦後の日本企業は、アメリカの生産方式などを学びつつ、経済復興に向けて自ら工夫し、努力を重ねてきました。そこから生まれた言葉「改善」は、日々の業務の中から勉強、工夫を重ねて、問題を解決し、競争力を強化していこう、というものです。トヨタの強さの秘密も「カイゼン」の力、学習しつづける力です。

このことは自分一人の人生にも当てはまります。ただ漫然と生きていくのではなく、勉強し、工夫し、自分という一番大切な存在を成長させていく過程なのです。

「カイゼン」も「イノベーション」も、要するに、勉強をつづけて仕事を工夫し、新しいもの（社会が求めているであろうもの）を創り出していかないと成功しつづけることはできないというものです。

このように、学習しつづける人、学習しつづける組織は、私の言うグロース・マインド（進化しつづける文化、進化しつづけようという意欲）に満ち溢れた人、そして組織と言ってよいでしょう。

ミッション・バリュー・ビジョンを明確な言葉として紙の上に書く

学習しつづける人と組織、成長しつづける人と組織に共通していることは、ミッション、バリュー、ビジョンのような重要なことについて明確な言葉に落とし込んで、それを日々確認しているということです。

明確な言葉にすることで指針ができ、方向性に迷いがなくなるからです。

人は言葉を文字にすることで他人との関係を明確にしますが、自分に対しても、組織内でも、初めて明確にすることができるのです。

このミッションやバリューを言葉にしたもので有名なのがリッツ・カールトン・ホテルの「クレド」です。

リッツ・カールトンはパリやマドリッドにある有名なリッツとは、今は直接関係はありません。ホテル・リッツとロンドンのカールトンホテルが一緒になってつくったホテルカンパニーを、アメリカの不動産王W・B・ジョンソンが買い取ったものです。

このW・B・ジョンソンと、そのもとに集った人たちが、リッツ・カールトンをお客様や従業員にとってどんな存在にすべきか、そのために何をすべきかを話し合い、一枚の紙にしました。それが「クレド」です。次のような言葉となっています。

クレド

リッツ・カールトン・ホテルは
お客様への心のこもったおもてなしと
快適さを提供することを
もっとも大切な使命とこころえています。

私たちは、お客様に心あたたまる、くつろいだ
そして洗練された雰囲気を
常にお楽しみいただくために
最高のパーソナル・サービスと施設を
提供することをお約束します。

リッツ・カールトンでお客様が経験されるもの、
それは、感覚を満たすここちよさ、
満ち足りた幸福感、
そしてお客様が言葉にされない
願望やニーズをも先読みしておこたえする
サービスの心です。

従業員への約束

リッツ・カールトンでは
お客様へお約束したサービスを
提供する上で、紳士・淑女こそが
もっとも大切な資源です。

信頼、誠実、尊敬、高潔、決意を
原則とし、私たちは、個人と会社の
ためになるよう、持てる才能を育成し、
最大限に伸ばします。

多様性を尊重し、充実した生活を深め、
個人のこころざしを実現し、
リッツ・カールトン・ミスティーク
（神秘性）を高める…
リッツ・カールトンは、このような
職場環境をはぐくみます。

このクレドは、それ自体が有名となり、リッツ・カールトンのブランド戦略にひと役買う存在となっています。従業員に頼めば、プレゼントしてくれるので〝思い出〟や〝おみやげ〟として、そしてホテルの口コミ宣伝力として大いに広まっているのです。

言葉の力は、このように偉大なものです。

今では、個人でも自分用の〝クレド〟、自分用のミッションカード、バリューカード、ビジョンカードを持つ人も増えてきました。

私は、これはとてもよいことだと思っています。

あなたも、ぜひ、自分のための〝クレド〟を言葉として紙の上に書いてみてください。

そして、いつもながめてください。人生が大きく変わり始めるにちがいありません。

第４章　リーダーシップのあり方

よきリーダーシップとは部下への究極のサービスのことである

リーダーシップのイメージは、一般的には、カリスマ性があったり、声が大きかったり、グイグイと部下を引っぱっていくようなことだったりするのではないでしょうか。

しかし、実は、昔からすばらしいリーダーというのは、そうではなかったのではないかと私は考えています。

たとえば、人類史上最も古い兵法書として有名な『孫子』の中においても、強い軍隊とは、将軍と兵が信頼し合える軍隊のことを言い、そのためには将軍は兵士をわが子のようにかわいがらねばならないと述べています。

すなわち「将軍が兵士を赤ん坊のように大切にしていれば、兵士は将軍を慕い、危険を冒してでも深い谷にも行くことができる。将軍が兵士をかわいいわが子のように大切にしていれば、兵士は将軍を慕い、ともに命を惜しまず戦うことができる」（地形篇）というのです。

孫子は他のところでも、将（リーダー）たる者の資質として「智、信、仁、勇、厳」を挙げています。この中の仁とは、孔子がもっとも大切にした他者への最適な思いやりのことです。ここでは部下への心からの思いやり、そして具体的なサービスを行えということでしょう。

幕末でもっとも優れた藩主と言われた島津斉彬も、「軍において最も重要なことは兵士を大切にすることである」とし、したがって食事が乏しいなどあってはならず、味もよくすべきだと述べています。その次に、鉄砲や機械が優れていることが必要だというのです。太平洋戦争時の日本のリーダーたちに最も欠けていた視点ではないでしょうか。

太平洋戦争における日本海軍の中でリーダーシップを発揮したのが山本五十六連合艦隊司令長官でした。山本五十六の次の名言は、戦後の企業経営者たちにも愛唱されてきました。

「やってみて、言ってきかせて、させてみて、ほめてやらねば、人は動かじ」

「人を動かす」というのがリーダーシップです。そのリーダーシップを発揮するためには、自らがまずやってみせて、そして言ってきかせて、させてみて、結果が出たらほめてやらないといけないということです。

ところで、私は、アメリカのワシントン大学に出かけて行って、パトリック・J・ベテイン教授のリーダーシップ論を学んできました。そこでやはり再確認したのが、リーダーシップには、カリスマ的力が求められるのではなくて、部下の成長と成功に奉仕することによって組織の目標の成功を達成していくことであるということでした。つまり、リーダーの仕事はサービス業であると言ってよいでしょう。

ベティン教授はアメリカ陸軍士官学校（ウエスト・ポイント）でリーダーシップの教官をしていたというユニークな人です。軍隊での経験をもとに、いかにすれば成功をつづける組織を作るリーダーになるのかを研究してきました。

ベティン教授は言います。

「成功を続ける強い組織とは、環境が変化しても即座に対応できる現場のリーダーを、サメの歯のようにつくり続けられる組織である。

次のリーダーを創り続けるためには、部下の成功を支援し、送りバントができるリーダーでなくてはならない。このようなリーダーこそ、組織の末端に至るまで数多くの成功を生み続けることができるリーダーである」（高橋佳哉、村上力著『サーバントリーダーシップ論』宝島社参照）

このような新しいリーダーシップ論は、昔から言われてきた真のリーダーシップのあり方を基に、さらに現代の知的資本が重要視される時代、より多くの専門知識を持った部下を待たざるをえなくなっている時代にふさわしいものに進化させたものと評価できます。

ここにもう一度、この新しいリーダーシップ論の要点をまとめておきます（前掲書参照）。

●リーダーにカリスマはいらない。名も知れないリーダーによって成功を続けている組織は数多い。
●誠実で首尾一貫していることが、リーダーとしての最大の資質である。
●部下の成功こそリーダーの最大の喜びであり、部下の成功を部下と一緒に思い描かなければならない。
●部下の成功に送りバントやアシストをすることによって、次のリーダーを創り続けることが、リーダーの役割である。
●部下の幸福感は一人ひとりまったく違う。その違いをリーダーは感じ取らなければならない。

また、日露戦争の連合艦隊司令長官東郷平八郎元帥は、自分をチェックする習慣として、

「五省」ということを述べております。

「五省

一、至誠にもとるなかりしか（誠実さを失っていることはなかったか）

一、言行に恥ずるなかりしか（言葉と行動に恥じるところはなかったか）

一、気力に欠くるなかりしか（気力に欠けているところはなかったか）

一、努力に憾みなかりしか（努力に満足できているか）

一、不精にわたるなかりしか（何をするにもめんどうくさがっていないか）

東郷平八郎」

（『語り継ぎたい東洋の名言88』総合法令出版）

皆さんの参考にしていただければと思います。

部下にも教わるリーダーは強い

成功する組織、成長しつづける会社の特徴は、いわゆる風通しのよい組織や会社です。上も下もよく意見が出て、お互いの意見をよく聞き、より正しいと思える方向に一致して進める組織です。

特に営業のリーダーやサービス部門のリーダーは、お客様に直に接する部下たちの現場の報告や意見をよく聞き入れて、すばやい対応をしていかないといけません。お客様の声は、神の声だと言ってよいでしょう。

人の意見、特に部下の声に耳を傾けることは、そう簡単ではありません。なぜならリーダーは自分の方が部下よりも経験も知識も多いはずですから、つい「聞くまでもないだろう」となりがちだからです。

松下電器（現パナソニック）の創業者、松下幸之助はカリスマ性の強い人でしたが、一方では、社員の声もよく聞き、そこに新しいアイデアを見い出すこともできた人でした。

それは幹部社員のみならず、地方の営業所のスタッフや工場の人たちに対しても同様で、今でも数多くのエピソードが残されているのです。

たとえば北海道のある営業所を視察したときに、電気暖房商品の売上げを営業マンにたずねました。すると「北海道の寒さに対応できていないので、難しい」とのことでした。松下さんは、本社に帰ってすぐに、北海道や東北の寒さに対応した商品の改善を指示しました。そして、北海道の営業マンに「教えてくれてありがとう」という手紙を出したのです。その営業マンは、松下さんの謙虚な姿勢や部下の意見も素直に聞き入れて、それが正しいと判断すればすぐに行動に移してくれる姿勢に感動しました。そして、松下さんからの手紙を家宝のようにいつまでも大事にしたのです。後に自らがリーダーとなっても、自分も松下さんのようになりたい、人の意見、部下の考え、お客様の声を素直に聞いていくぞと心に誓ったのは言うまでもありません。

松下幸之助が人事部門の人たちに話したという有名な言葉があります。

松下電器は何をつくっている会社ですか、と聞かれたら、「松下電器は人をつくっている会社です。あわせて電気製品をつくっています」と答えるべきだというものです。

よきリーダーが次々と生まれてくる秘訣がまさにこの松下さんの言葉だと思います。

「人をつくる」、それは、お客様や部下の声を素直に聞き入れることのできる人材をつくるということでもあります。

自分の力を伸ばすにも、売上げの数字を伸ばしつづけるにも、お客様や部下に教わることのできる人でありたいと思います。

また、松下幸之助は次のようにも述べています。

「人間一人の知恵才覚というものはきわめて頼りないもので、だからこそ、迷ったときはもとより、何ごとにも積極的に他の人の知恵を借りることが必要です。しかし、人の意見を聞いてそれに流されてしまってもいけない。聞くべきを聞き、聞くべかざるは聞かない。そのへんがなかなか難しいところですが、それが出来れば、お互いの人生の歩みは、より確かなものになっていくのではないでしょうか」

カリスマになったら後進に道を譲って別の領域に進みたい

私は、よく、社長さんたちに言います。

「カリスマになったら後進に道を譲りましょうよ」と。

私はその教えとして西郷隆盛の南洲遺訓を用います。

西郷さんは言います。

「よく心を公平にして、正しい道を踏み、広く賢人を選び、よくその職を遂行させるのが天意に沿うことである。それゆえ、真に賢人と認められる人がいたならば、すぐに自分の職を譲るほどでなくてはいけないのだ」

実際に、西郷さんの生き方は、自分に対して厳しく、とても謙虚でした。それがまた人望を集める理由でもありました。

自分の身の処し方ほど難しいものはありません。力がある人ほど、そうです。ですから若いうちから、「自分がカリスマとなって、まわりの人が持ち上げるようになったら、次の人にリーダーの座を譲る」ということを自分によく言い聞かせておくのが必要ではないでしょうか。

経営者の仕事は「決断」です。

「決断」とは、断ることを決めると書きます。つまり「捨て去る」ことを決めるということだと思います。

その中でも、最後の決断は、自分自身のポスト、つまり経営トップという立場からおりる決断ではないでしょうか。

心を素直にすること

人は仕事を通じて自分を磨き育て、成長させていくものですが、最も成長する人というのはどういう人でしょうか。

それは、素直な心を持った人ではないでしょうか。自分の我欲に引っ張られず、他人を色目で見ず、ありのままを素直に見れる人が、まわりから、あるいはお客様や取引先から可愛がられるし、よいところをどんどん吸収できるのではないでしょうか。

たとえばミッション、バリュー、ビジョンを掲げても、物事を素直に受け入れられない人には、「たて前じゃん」とか「そんなの無理でしょ」とか「勝手にやれば」などと心の中で思ってしまい、組織の一体感を乱してしまう存在となるでしょう。ましてやグロース・マインドといった前向きな組織の文化にもなじまないでしょう。

この素直な心になるということはリーダーにとってもかなり重要な心がけです。

リーダーシップ論の権威金井壽宏神戸大学教授がリーダーシップの教科書として推薦されているのが松下幸之助の『指導者の条件』（ＰＨＰ）です。

次のように述べられています。

「経営者の手になる数ある書籍のうち、なんといっても、リーダーシップ持論の宝庫として、質・量ともおいて松下幸之助による『指導者の条件――人心の妙味に思う』（ＰＨＰ研究所、一九七五年）に勝るものはない。自覚的に自分なりの経営の知恵、なかでもリーダーシップにまつわる知恵を、多数の原理・原則の形で平易な言葉で述べた点において、右に出るひとはいないのではないかと思われる。約二百ページのコンパクトな書籍のなかで、一項目ごとに見開きになっていて、提示されている。自分なりのリーダーシップ持論を探すときに、ものの見方や言葉の選び方、目の付け所などに困ったときには、これほど重宝なものはない。

見出しを何度も眺めるだけで大いに参考になる。困っているときには、心に引っかかる項目を書き出してみるのもいい」

（『リーダシップ入門』日経文庫）

その項目を書き出してみるとこうなります。

1 あるがままにみとめる
2 いうべきをいう
3 怒りをもつ
4 一視同仁
5 命をかける
6 祈る思い
7 訴える
8 落ち着き
9 覚悟をきめる
10 価値判断
11 過当競争を排す
12 寛厳自在
13 諫言を聞く
14 感謝する
15 カンを養う
16 気迫を持つ
17 きびしさ
18 決意をつよめる
19 権威の活用
20 原因は自分に
21 謙虚である
22 権限の委譲
23 見識
24 公平である
25 公明正大
26 志を持つ
27 心を遊ばせない
28 こわさを知る
29 最後まで諦めない
30 自主性を引き出す
31 私心をすてる
32 指導理念
33 自分を知る
34 使命感を持つ
35 自問自答
36 衆知を集める
37 出処進退
38 小事を大切に
39 仁慈の心
40 信賞必罰
41 人事を尽くす
42 辛抱する
43 信用を培う
44 信頼する
45 好きになる

46 すべてを生かす
47 誠実である
48 責任感を持つ
49 世間に従う
50 説得力
51 世論をこえる
52 先見性
53 先憂後楽
54 即決する
55 率先垂範
56 大義名分
57 大事と小事
58 大将は内にいる
59 大将は大将
60 大所高所に立つ

61 正しい信念
62 ダム経営
63 調和共栄
64 使われる
65 適材適所
66 敵に学ぶ
67 天下の物
68 天地自然の理
69 天命を知る
70 徳性を養う
71 独立心
72 とらわれない
73 努力する
74 長い目でみる
75 なすべきことをなす

76 人間観を持つ
77 人情の機微を知る
78 熱意を持つ
79 ひきつける
80 人の組み合わせ
81 人をきたえる
82 人を育てる
83 人を使う
84 人を見て法を説く
85 人を求める
86 日に新た
87 広い視野
88 不可能はない
89 方針を示す
90 包容力を持つ

91　ほめる
92　まかせる
93　見方をかえる
94　みずから励ます
95　無勝手流
96　命令する
97　目標を与える
98　持ち味を生かす
99　勇気を持つ
100　乱を忘れず
101　理外に理
102　再び謙虚と感謝

これらの項目を眺めて気づくのは、松下幸之助は「素直な心」というのをいかに重視していたかがわかります。

ピックアップしてみると次のようになります。

1　あるがままにみとめる、2　いうべきをいう、8　落ち着き、12　寛厳自在、14　感謝する、21　謙虚である、24　公平である、25　公明正大、31　私心をすてる、36　衆知を集める、46　すべてを生かす、49　世間に従う、66　敵に学ぶ、68　天地自然の理、72　とらわれない、75　なすべきことをなす、87　広い視野、102　再び謙虚と感謝、などです。いかにリーダーにとって「素直な心」が大切かをいろいろな視点から説いています。

ところで、前に紹介した薩摩の幕末の藩主島津斉彬の座右の銘で、書でも有名なのが「思無邪」です。これは論語の中の言葉で「思い邪《よこしま》なし」のことで、「心の思いに邪念がないこと」、つまり〝素直な心〟を意味しています。これを自らの生き方の指針としていましたが、さらにこの教えの影響を受けた西郷隆盛は、西郷南洲遺訓の最初に、次のように語っています。

「政府の中心となって国政を行うことは、天の道を行うことだから、少しも私心をはさんではいけない」

これにつき、西郷南洲遺訓を経営の指針とされてきた稲盛和夫京セラ名誉会長は、その著でこう述べます。

「トップに立つ人間には、いささかの私心も許されないのです。基本的に個人という立場はあり得ないのです。トップの「私心」が露《あらわ》になったとき、組織はダメになってしまうのです。
常に会社に思いを馳《は》せることができるような人、いわば自己犠牲を厭《いと》わないでできるような人でなければ、トップにはなってはならないことを、西郷の教えにより、私は確信するようになりましたし、その後は一切迷うことなく、自分の人生のすべてを経営にかけることができました」

（『人生の王道』日経ＢＰ）

素直な心は、自分の立場が上に行けば行くほど、より求められ、私心を一切入れてはいけないほどのものになっていくことを、島津斉彬、西郷隆盛、松下幸之助、そして稲盛和夫氏は強調されているのではないでしょうか。

第5章　成功を生む人間力

夢実現への強い意志を持つ

人はなぜ生きているのか。人はなぜ仕事をするのか。人はなぜ会社をつくり、あるいは会社に入って仕事をするのか。

私は、営業の売上げトップの成績を上げることをめざしながらも、いつもこれらのことを考えつづけていました。

今も自らの会社を経営し、経営コンサルタントとして数多くの会社を見させていただきながらも、まだそれを考えつづけています。

私が現在の段階で気づいていることは、この世に生をうけてきた私たち一人ひとりの人生を意味あるものにすること、つまり生まれてきて天から与えられた役割、使命を果たすために生きて、仕事を充実させるためであるということです。

言いかえると、自分の果たすべき夢実現のために仕事をするのであるということです。

人は、仕事を通してこそ自分を成長させ、そして夢を実現していけるものなのです。

二十世紀の経営学をリードしたピーター・ドラッカーは、「組織は人の弱みを意味のないものにすることができる」と述べました。

私たち人間は一人では何もできません。一人ひとりに強味があり、役割があります。他方で弱味があり、他人に頼らなければならないことがあるのです。それを補充し合いつつ、自分の使命を果たしつつ、自分の夢を実現していくのが会社の存在意義というものです。

これらをよく自覚して、自分のこの人生での使命を果たすこと、自分の夢を実現していくことをやり遂げていかなくてはなりません。

つまり、自分の存在を生かすことが、自分の才能を生かしきっていくことが他人の力となり、会社の力となり、それがより大きな自分の支えになるという構図です。

たとえば日本の幕末の危機を乗り越えることができたのは薩摩藩という存在があったからだというのは、ご周知の通りです。

この薩摩藩において日本で最も英明で人物としても別格に優れていたと評されるのが島津斉彬でした。しかし、島津斉彬は藩主である父や藩首脳たちに疎まれていて、次期藩主には弟の久光を推す勢力の方が強かったのです。

ところが、西郷隆盛、大久保利通など薩摩藩の下級武士たちは、外国勢力に脅かされる日本や薩摩を救っていけるのは斉彬しかいないとの思いでクーデター計画をも考えていたほどでした。さらに、幕府の筆頭老中阿部正弘も、斉彬の才能を国政に生かしてもらわないとこの国難は乗り越えられないと考えていました。そこで斉彬の父側に圧力をかけて、ついに斉彬は藩主となることができました。

藩主についた斉彬は、西郷たちの期待を裏切って反対派を一掃したりはしませんでした。なぜなら、薩摩から日本の未来へ向けての大改革をしていくには、経済改革などで成果を上げていた反対勢力をも活用すべきだと考えたからでした。

斉彬は、日本の生き残る道は外国との交易をはかりつつ経済力を強くし、国を豊かにして対等な外交関係を保つようにしなければならないというものでした。そのための具体的な政策を薩摩藩内において実践していきました。この経済力と外交感覚、そして強い軍隊が明治維新を実現していったのです。

斉彬は、近代的な大規模な研究所と工場を運営しましたが、その中でおもしろいことを述べています。

それはガラス工場の職人たちがお酒を飲みすぎて困るという注進に対してのものです。

「だいたい手先が器用な職人たちは、酒好きなものが多いものだ。人はそれぞれに役割分担があるのだから、その長所をよく見て伸ばしていくべきだ。また、酒ぐせの悪さは、彼らだけではなく殿様クラスだっていっぱいいる。人の欠点は、少しずつ直していけばいいことである」

後には大英雄となる西郷隆盛も、こうして日本の再生プロジェクトのためには、何ごとにもめげずにやり抜き、組織としての強味と個人の役割をよく知り、生かしていくという斉彬の強い意志を学びつづけて大きな成長を成し遂げることができたのです。

こうして、自分の夢実現のために必要なことをよく自覚し、そして、強い意志を持ってやり抜いていきたいものです。

決してめげない強い心を育てていこう

人生において最も大切なことの一つは、「決してめげない心」を持つことです。これは、もちろん簡単なことではありません。特に、現代日本の若者たちに一番欠けていることだと指摘する人たちも多くいます。

一つは成熟した経済社会の中で生まれ育ち、食べることにも困らず、学校における試験や受験においても競争は穏やかなものになっているからです。先日、東大に子息を進学させる中国人の父親から聞いたのが「日本で育った子供を、中国ではとても一流大学に合格させることはできませんよ。あれだけの苛酷な受験戦争にさらすなんて無理です」ということでした。

また彼はつづけて言います。

「日本は、世界の中でも珍しく徴兵制がなくて、若い時に厳しい試練を与えられません。これはすばらしいことですけど、あの極限の苦しみや自己批判や、忍耐力を学べないことは、世界の若者にくらべるとどうしてもひ弱に見えてしかたありません。私も二十代の前半に人民解放軍で死ぬほどつらい思いをしましたので、恐いものなんてあまりないですよ」と言うのです。

たしかに、子供のころから青年時代に甘やかされて育った人は、どうしても弱い心の持ち主となってしまい、すぐにくじけてしまいがちとなるのは歴史を見ても、まわりの人たちの人生を見てもよくわかるところです。

しかし、これでは日本はおろか、日本人の一人ひとりの人生が情けないものになってしまいかねません。

私は、座右の銘の一つとして、西郷隆盛の次の言葉を大切にしています。

幾たびか辛酸を歴て
志始めて堅し

人はつらいことを、困難なことを経験し耐え抜いて、初めてその志がしっかりとしたものになるということです。

また、山中鹿之助の次の言葉も大好きです。

憂きことの　なおこの上に　積もれかし
限りある身の　力ためさん

これは新渡戸稲造の武士道の中でも紹介されている言葉です。私も、いつも、「さあ、より大きな試練よ、私にやって来い！」と心の中で叫んでいます。決してめげない強い心を育てていきたいからです。

ハーバード大学ビジネススクールの教授であるジョン・P・コッター氏は、私の敬愛するリーダーシップ論と経営学の学者の一人です。

彼の企業文化についての次の言葉は、私も自分の会社案内の中にも載せさせてもらっています。

「経営者の仕事は、戦略と価値観や文化を結びつけること。どんなに優れた戦略があっても、それを支える企業文化や中核価値がなければ実行することは難しい」

つまり、先にも述べた、社員たちがごきげんに、そして楽しく仕事に打ち込める会社の文化を大切にしていこうということです。

ところで、このジョン・P・コッター教授は、日本の松下幸之助を研究し、世界が模範とすべき経営者の一人だと位置づけられています。

自らの著書の中で、次のように松下幸之助を分析されています。

「わずか四歳で貧困のどん底につき落とされ、九歳で職につき、三十歳になるまでにはほとんどすべての家族を失った。やがて生まれたばかりの子供と死別し、そして大恐慌、第二次大戦がたたみかけるように彼の身に降りかかってきた。これら悲劇的事件は途方もない辛苦を強いたが、同時に両親や家族、妻、愛人、その他の人々の支えによって、これらの事件を通じて、自己検証と探究心のレベルが高まり、それが彼の目標と戦略と哲学に影響を与えた。艱難辛苦はさらに自分を見つめ直し、学ぶ姿勢を促した。逆境は不安の度合いを高め、常に危機感を抱かせ、自己満足を遠ざけた。悲劇続きの人生は、自分は失敗を越えて生き残れる、だから危険を冒せるということを教えた。この一連の経験が途方もなく大きく複雑な感情――苦痛、怒り、恥、屈辱など――を呼び起こし、それが力強い精神力の源になった」

「松下幸之助のもっとも基本的で、潜在的にもっとも力強い思想は、生涯にわたって学び続ける根源に関するものである。彼ならこう言うだろう。東京大学出身者（あるいはハーバードでもオックスフォードでもいい）という特権的な学歴を持っていることはいいことだが、それは何ら本質的なことではない。これと同じことは、抜群の知性、優れた容姿、劇的な個性についても当てはまる。この種の要素よりも重要なことは、確かな習慣と、その習慣を支える理想なのだ。彼は繰り返し人々に説いた。謙虚な心と開かれた心を持てば、人はどんな経験からも、どんな年齢からでも学べると。人間的な大きな理想を抱けば、成功も失敗も克服し、そのどちらからも学び、成長し続けることができると。

彼の驚異的な人生は、これらの主張の力強い証明にほかならない」

（高橋啓訳『限りなき魂の成長　人間松下幸之助の研究』飛鳥新社）

私たちは、松下幸之助のような人生経験はもはやできるはずもありません。

しかし、彼の人生を通して得られた〝真理〟は、〝考え方〟は、私たちのこれからの人生に大いに生かしていくことはできるはずです。

どんな苦しみが来ようと、どんな困難が訪れようとも、それは、私たちを大きく成長させるためのものであるということです。

そのためにも、決してめげない心を一歩一歩育てていきましょう。

人望はつくられる

本当に仕事ができる人は人望があります。真の営業力やサービスも人望をつくっていくうえででき上がっていくのではないでしょうか。

人望とは、まわりの人たちに信頼され、慕われることです。あの人についていけばまちがいないとか、あの人がすすめるものは信じてよいなど、まわりの人たちや社会で他に影響を及ぼす存在でもあります。

カリスマという言い方があります。人望のある人とのちがいは、カリスマには人間性の要素が含まれていないところです。どちらかというとナゾめいた力や不思議な力を連想させる実力者を指しています。

人望とは、それよりも、全人格的な信頼です。人としての備えるべきよき資質や徳が高まっている人が人望のある人です。

若いころはカリスマ的な人にあこがれるものですが、一時的な売上げよりも、継続的な長いおつき合いのお客様たちをつくりあげていくには人望のある人間をめざすべきです。

私も、少しずつですが人望のある人間になり、伝説のコンサルタントの領域をめざしています。そのお手本として尊敬する西郷隆盛を学んでいるのです。

ですから『西郷南洲遺訓』は私の座右の書の一つです。自分の会社の社員にも、私を慕って集まってきてくれる若い経営者の方たちにも、機会があるごとにその内容を話します。それは、自分の学習でもあるわけです。

前に紹介しました「幾たびか辛酸を歴て志始めて堅し」の他にも、次のような言葉を日々忘れないようにと言い聞かせています。三つばかり紹介させてもらいます。

●学に志す者、規模を宏大《こうだい》にせずば有るべからず。さりとて、ただ此《こ》こにのみ偏倚《へんき》すれば、あるいは身を修するに疎《そ》に成り行くゆえ、終始己《おの》れに克ちて身を修するなり。規模を宏大にして己れに克ち、男子は人を容《い》れ、人に容れられては済まぬものと思へよ

正しい道を学ぼうと志す者は、志の規模を宏大にして学んでいかなければならない。しかし、ただそのことばかりにこだわっていると徳を養い修めるということがおろそかになるので、常に自分に克つように修養していかなくてはならない。

志の規模を宏大にしつつ、自分に克ち、男子たるもの人の過ちや欠点は許すようにし、

自分の過ちや欠点は人に許されようなどと思ってはいけないと自分に言い聞かせておくべきである。

●人を相手にせず、天を相手にせよ。天を相手にして、己《おの》れを尽《つ》して人を咎《とが》めず、我が誠の足らざるを尋《たず》ぬべし

人を相手にせず、天を相手にせよ。天を相手にして自分の最善を尽くし、うまくいかなくても人の非や過ちをとがめるのではなく、自分の誠の足りないことを反省すべきである。

●過《あやま》ちを改《あらたむ》るに、自ら過ったとさへ思い付かば、それにて善《よ》し、その事をば棄《す》て顧みず、直《ただち》に一歩踏み出すべし。過ちを悔《くや》しく思い、取り繕《つくろ》わんと心配するは、たとえば茶碗を割り、その欠けを集め合せ見るも同じにて、詮《せん》なきことなり

過ちを改めるにあたっては、自ら過ったと思いついたら、それでいい。そのことをすぐに思い捨てて、ただちに一歩踏み出していくことだ。

過ちを悔しく思ってその過ちをとりつくろうと心配するのは、たとえば茶碗を割って、そのかけらを集めて合わせようとしているのと同じであり、まったく意味もないことである。

西郷隆盛は、人望という点で日本の歴史上最も高い評価を得ています。トム・クルーズ主演の「ラスト・サムライ」も西郷隆盛をイメージし、新渡戸稲造の『武士道』も西郷隆盛の生き方を、最も理想の武士のあり方として考えています。新渡戸稲造もアメリカの大学に学び、ヨーロッパで活躍する中で西郷隆盛の南洲遺訓をくり返し読み直し自己を鍛えたようです。日本人としての誇りを身につけたかったのでしょう。

私もニューヨークで世界の優秀な金融マンたちを相手に自信を失いそうになるところを、「負けてなるものか。おれは日本男児、武士道の国の男なんだ！」と自分を奮い立たせました。

こうして日本に戻ってますます西郷隆盛について学び、西郷さんのような人望を身につけていくのを人生の目標にしたのです。

人望はつくられるものだと思います。西郷さんの人生を学ぶとよくわかります。人々のために自分を生かし、天命を信じ、苦難を乗り越えていく中で身についていくものだとわかりました。

「天を敬い人を愛する」という敬天愛人は、その帰結の言葉です。

人望はつくられていくのですから、私たちは、人を愛し、天を敬い、自分を高め成長させてそれをめざしていきたいと思います。

母への手紙

私たちを生み育ててくれた最大の恩人であり、敬愛すべき人物、それが母親です。私は、小学生のころから、母親に手紙を書きました。大好きな母親を喜ばせて、その喜びようを見て、もっともっとがんばろうと思ったからです。先日、母が、私が九歳のときに書いた手紙を見せてくれました。幼稚でへたな手紙ですが、ここに紹介させてもらいます。

お母さんおたんじょうびおめでとう。
今は器楽の練習から帰ってきてすぐ宿題をやってお風呂に入りました。
頭もあらいました。
そして、『コビアン』のビフテキを食べました。
お母さんはもっともっといいごちそうをお父さんに食べさせてもらったと思うけど、
何を食べたの。
今日はとてもいい一日だったよ。
いつもいそがしくしてたいへんだけど、これからもがんばってね！

ぼくもできるだけがんばってオール5をめざすからね。

それから、ニュース、ニュースだよ。バラが咲いたよ。きれいだから帰ってきたら見てごらん。とくにテレビの上が美しいよ。

お母さんみたいだよ。

今日は、ほんとうにおめでとう。プレゼントはないけどさ。じゃ、また元気ではたらいてね。

力より
おかあさんへ

手紙はいいですね。こうして何年たっても読み返すことができます。また、手紙をもらった方は心に響き、永遠の宝ものとして残ることになるからです。現に、私の母は、こんな拙い九歳の息子の手紙さえ大事にとっておいてくれたのです。

父は数年前、突如病床に伏し、四年半植物状態で三年前に他界しました。そのとき、親孝行は生きている間にするのではなくて、元気なうちにしかできないことを身に沁みました。

元気な母を自分なりに大事にしていくことができるのも、お客様や心ある方々の支えがあってこそとつくづく思います。

楽しいことに夢中になる

人生は絶対楽しむべきだというのが私の信念の一つです。

そして最も楽しいことは、仕事の中にあって、それも努力がだんだん報われていく過程の中にあると思っています。

ですから、どんなに苦しくても、「さあ、もっとオレを楽しませてくれ！」と挑みつづけていきたいのです。

「努力する」という言葉はかっこ悪いと思う人もいるかもしれません。だったら、「この努力することを楽しむ」を「楽しいことに夢中になる」と言い換えてみましょう。これならどうでしょうか。

大きな成果をあげる人は、その仕事を楽しめる人です。それも楽しくて夢中になっている人です。

そのレベルになるには、まずは、目標を立ててそれに向かうことから始めなければなりません。何もしないでいるうちは、夢中にもなれないし、楽しくも何ともないでしょう。

私は年賀状に「Decide what you want ! Let's get it together.」と英文を入れてみまし

た。「あなたの夢（欲しいもの）を決めてくれ。それをいっしょに手にいれにいこうぜ」といった気持ちです。これは、『Raving fans』という本を読んでいて思いついた言葉でした。ズバリ「夢中になって楽しもう！」という本です。

夢や目標は大きければ大きいほど壁が高く、難題も出てきます。しかし、これを乗り越えて、はじめて目標に近づくわけです。人生に目標があるから乗り越えるべき、そして楽しくて夢中になれる課題が出てくるわけです。これこそ人生の手応えでしょう。

この手応えある人生を嫌がって、逃げてばかりで何もしない人生こそ、何とつまらない人生ではないでしょうか。

前にスタンフォード大学のスポーツの強さ、文武両道の凄さを紹介しました。そこのあるスポーツコーチの口グセは「ルック・フォワード！」です。

「ルック・フォワード（Look forward！）で行こう。努力を楽しむんだ。問題を乗り越えていく過程を楽しむんだ。人生を前向きに生きていくんだ。そのために、われわれは、自分の一度しかない人生をこうやってがんばっているんだ」（浜田貞雄『スタンフォード大学で生まれた 世界№1の成功法則』総合法令出版）

このように自分に向ける「努力することを楽しむ」ための生き方確立までの言葉をいく

つか用意しておくのはとてもよいことです。
二つの名言を紹介しておきましょう。

The secret of joy in work is contained in one word - excellence. To know how to do something well is to enjoy it.
Pearl S. Buck
仕事をする喜びを知る秘訣は、たった一つの素敵な言葉で言い表すことができる。それは楽しみながらやれるようになることである。
（パール・バック）

Work is either fun or drudgery. It depends on your attitude. I like fun.
Collen C Barrett
仕事は楽しいか、つまらないかのどちらかである。それは、その人の心がけ次第だ。私は仕事を楽しんでいる。
（コレン・C・バレット）

トップ5％を体感しよう

アメリカのビジネス社会ではトップ5％の人たちが年収一〇万ドルで、その他の95％のビジネスマンは年収二～三万ドルとなっているそうです。

日本にいると階級ということは意識することはあまりありませんが、外国に行くと階級社会であることを強く感じます。

どのホテルに泊まっているか、どの車に乗っているか、どんなレストランで食事をしているか、どんな服を着ているかなど、その人がどのクラスの人なのかを判断します。

ヨーロッパあたりでは、五つ星のホテルに泊まっていないと一流のビジネスマンとして見てくれないこともあり、日本人ビジネスマンは注意する必要がありました。東南アジアでは、ベンツに乗っているだけで警察や店で特別扱いされることもあります。今の日本ではあまり考えられないことです。

しかし、ビジネス社会が次第にアメリカ型となりつつある今、5％のトップ層を意識したビジネスを考えていかなくてはいけません。トヨタも、ベンツに負けないものをつくりつつあります。ホテルのサービスも、世界のトップホテルサービスを無視することはできません。

５％のトップ層に必ずなれと言うわけではなく、５％のトップ層も喜ぶ商品、サービスを提供しないと、結局、すべてのお客様を喜ばせることはできません。逆にトップ５％の商品、サービスをよく知り、体感し、それをどう生かしていくかを考えていくかが大切なこととなります。

ですから、時に超一流を体感しておくことも必要でしょう。

前に紹介したリッツ・カールトンのブランド戦略は、この５％トップ層を喜ばせるというところにあります。

日本支社長の高野登氏は次のように述べています。

「ブランドの使命は、お客様への約束を裏切らないことです。リッツ・カールトンというブランドでもそれは同じことです。感性豊かなサービスを期待して泊まられたのに、普通のホテルと変わらなかったというのでは、二度とお泊りいただけないでしょう。リッツ・カールトンには、ブランドとして約束していることをお客様に提供しつづける義務があるのです」

トップ5％というのは、いわば私たちが提供するサービスレベルのベンチマーク（目標とする基準）だととらえています。トップグループの方に満足していただけるサービスができれば、すべての方の期待にもきっと応えられる。そういう意図の下に私たちは感性やサービスの技術を磨いているのです。

トップ5％を目指す勇気としてピータードラッカー博士は以下の四つを挙げています。

「第一に過去ではなく未来を選ぶことである。第二に、問題ではなく機会に焦点をあてることである。第三に、横並びではなく自らの方向性を持つことである。第四に、無難で容易なものではなく、変革をもたらすものに照準を合わせることである」

『プロフェッショナルの条件』ピータードラッカー（ダイヤモンド社）

これからの時代、マーケットは世界です。世界のお客様に通用する商品、サービスの提供が求められます。そのためにもトップ5％の体感を忘れずにしておきたいと思います。

同じ仕事をするなら心を込めた方が勝つ

心を込めて仕事をすることが大事です。

誠実さという徳は、ビジネス社会が育ててきたものだ、という話は前にしました。そして、グロース・マインドという、進化する文化、心が前向きになっている組織が大きな成果を生んでいくとも述べました。つまり、どれだけ心が込もっているかで大きな差が出るかというのが人間社会の特徴です。

「同じ仕事をやるなら、気持ちが入っている方が勝つ」と私はよく話します。

才能や技術だけで、この社会は勝てるものではありません。ビジネスにおいても、そこに心が込もってお客様も喜ぶものが生まれるのです。

先日、テレビで大学ラグビーの決勝戦を行っていました。早稲田大学対慶應大学で、早稲田が26対６で勝ち、優勝しました。それを見ていて、どうしてこいつらラグビーの試合でこんなに喜んだり、悔し涙を流しているんだろうと思いました。まるで命を賭けた戦い、聖戦のようなムードです。それだけ熱い心でやっているのでしょう。

大学ラグビーで優勝した早稲田の強さの秘密の一つが〝荒ぶる〟という歌です。この、

〝荒ぶる〟という歌は、大学選手権で優勝した時しか歌えないものです。その〝荒ぶる〟を歌いたいために一年間がんばれるというわけです。

四年生の時に、日本一になれないと卒業後一年この〝荒ぶる〟が歌えないという決まりがあるそうです。だから四年生はこのために下級生を引っぱり、下級生は四年生のためにがんばるのです。

一年間、チームが一体となって前向きで練習しつづけることは大変なことです。しかし、この〝荒ぶる〟を歌うためにがんばるのが人間のおもしろさです。たかが一つの歌のために心が強く入るというわけです。

早稲田大学の中竹竜二監督は四年で主将の時も、監督に就任した時も優勝できず、まだ一度も〝荒ぶる〟を歌ったことがありませんでした。

〝荒ぶる〟を手に入れ、実際に歌えてどうだったかをたずねられて、次のように答えています。

「いやあ、やっぱり手に入れるのはすごく難しいことだと思ったね。同時に何て素晴らしいものなんだって。日本一になったときにしか歌えない歌、こんなものを作ったワセダラグビーは本当にすごいと思ったし、もうすべてを懸けられるもの。さっき言った誇りというのは、ワセダというチームのメンバーが全員で歌いたい、百三十三人全員で歌いたいと、ミーティングで心からそう言った。あれはすごく嬉しかったし、本当に誇りを感じた瞬間だったね」（早稲田ラグビー部公式ホームページ）

早稲田以外にも優秀な選手を集めているチームはいくつかあります。しかし、この〝荒ぶる〟という目標はありませんから、別のミッション、バリューやビジョンを見つけなくてはなりません。

歌一つに自分たちの〝クレド〟や〝バリュー〟〝ビジョン〟を体現することを考え出したのは、一つの発明と言えるでしょう。

ちなみに早稲田ラグビーのミッションは、「ラグビーを通して社会に夢と希望そして感動を与える」ということです。

ラグビーなどのスポーツにおいても、そこには企業社会に通じる組織論や成功法則やリーダーシップ論があります。私たちは、それを楽しみつつ学ぶことも有益なのではないでしょうか。

本を味方にしていこう

私は楽天家です。

いつも「明日はもっとよくなっている」と信じています。

だから、勉強も大好きなのです。だって、どうせ明日はよくなるなら、そして明日より明後日がさらによくなるのなら、勉強していかないとそのレベルに自分自身がついていけなくなってみっともないからです。

「みっともないことはしない」のが、楽天家の性格の私をうまく制御してくれる自分の〝美学〟です。

ソクラテスは言いました。

「本をよく読むことで自分を成長させていきなさい。本は著者がとても苦労して身につけたことを、たやすく手に入れさせてくれるのだ」

大哲学者ソクラテス先生でさえ、本に学んでいるのです。凡才の私が読まないわけにはいかないではありませんか。

こんな私でも、ビジネス書はもちろんのこと、『西郷南洲遺訓』のような日本の古典的名著に加え、英語の本にも（ビジネス書を中心として）挑戦しつづけています。
私はほぼ毎日、コンサルティングと研修、セミナーで、一日中遅くまで埋まっています。しかし、週末の休日をできるだけ確保したり、クライアントからクライアントへ移動する間に本を開きます。オフィスでも、ちょっとした時間がつくれたら、すぐページを開くようにしています。

こうして本を味方にして、毎日仕事をしていますと、本の著者たちや出版社の方たちとも（経営者および編集の人たち）親しくなってきました。本まで書くようになって母や友人たちにびっくりされるほどです。亡くなった本好きの父も喜んでくれて、「出来の悪い息子だ」と期待を裏切ってきた私ですが、〝まわりの方々の力〟と〝本の力〟を味方にして、やっと父を喜ばせることもできました。父がつけてくれた名である「力」は、私にとってそういう意味だったのかな、とよいように考えているのです。

これからも毎日、本を味方にして、さらに「明日はもっとよくなっている」のです。

最後に、私の座右の銘としている言葉を二つご紹介いたします。

If a man empties his purse into his head,
No one can take it from him.
An investment in knowledge is always the best interest.
Benjamin Franklin

もし、人が頭の中の財布を空っぽにするなら、
その人は何も得るものはなくなる。
自分の勉強に投資することこそが、
常に最大の利子を生み出すと言える。
（『語り継ぎたい世界の名言１００』総合法令出版）

金剛石もみがかずは
玉の光はそわざらん
人もまなびて後のこそ
まことの徳はあらわるれ

時計の針のたえ間なく
めぐるが如く時の間の
光陰惜しみてはげみなな
いかなる業かならざらん

昭憲皇太后

（現代語訳）
ダイヤモンドも磨かなければ
光り輝くことはない。
人も学んではじめて
誠の徳ができてくる。
時計の針がいつも休みなくまわるように。
時間を惜しんで励めばどのようなことも
成し遂げられるだろう
（『語り継ぎたい東洋の名言88』総合法令出版）

ビジネスは人なり、投資は価値なり

あるとき朝日新聞の「天声人語」で、私とパートナーの高橋佳哉が中心となって翻訳出版した『ビジネスは人なり　投資は勝ちなり』（ローウェンスタイン著、総合法令出版）という、ウォーレン・バフェットの評伝が紹介されていました。父もこの記事を天国から読んでくれていたでしょう。

原著のタイトルは「THE MAKING OF AN AMERICAN CAPITALIST」で、直訳すると「アメリカを代表する投資家はどうやってつくられてきたのか」でしょうか。しかし、私は、この原著を読みつつ、ウォーレン・バフェットの投資哲学に感銘しつつ、この本のタイトルは『ビジネスは人なり　投資は価値なり』がよいと考えたのです。そして、この考え方は私のビジネス観、投資観とも近いものがありました。

この本の中で私が興味深く訳した部分の一つが、ミセスBという、有名な女社長の経営するネブラスカ・ファーニチャー・マート社の株を買うときのバフェットのやり方でした。それに天下無敵の営業トップレディミセスBの仕事ぶりでした。

バフェットは、まず自らミセスBの仕事ぶりを観察します。次のように描かれています。

「バフェットがビジネスを評価する際に常に自分に問いかけてきたのは、資本、人材、経験などが十分にあるとして、その企業と競争したらどうなるだろうということだった。

　一九八三年の夏、熟慮した結果、彼はだだっ広い売場を持つネブラスカ・ファーニチャー・マート社を訪れた。何エーカーもあろうかというコンバーチブル・ソファーとダイニングセット売り場を通り抜け、パウダーブルーや鮮やかなベージュで彩られたカーペット売り場に行き、物陰から女性オーナーを観察した。彼女の身長は一四五センチほどだったが、彼には三メートルほどには見えた。

　彼女の名前はローズ・ブラムキンといい、オハマではミセスBの名で知られていた、彼女はゴルフカートで売り場を巡回し従業員に檄（げき）を飛ばした。その力強さは八九歳という実際の年齢の、半分の年齢にしか見えなかった。頬は赤みを帯び、結い上げた髪の毛はこめかみのあたりが少し白くなっているだけだった。バフェットは彼女と競争するくらいなら熊と戦ったほうがましだと考えていた」

　ミセスBは、ロシア生まれのユダヤ人で、アメリカに夫と移民し、英語も学校で習ってくる子供たちから習って覚えました。そして四四歳のときに五〇〇ドルをかき集めて店を開きました。それが後に年商一億ドルの家具小売業店にまでなっていきました。ほとんどミセスBの営業力だったようです。

彼女のモットーは、「値段はやすく。正直に」です。

そして商売のやり方は次のようなものでした。

「大量に仕入れて、経費を削減して、貯蓄にはげむミセスBのやり方は極端にシンプルだった。たいていは一〇パーセントのマージンを乗せて売っていたが、よく知られた例外があった。若いカップルが来て価格が高くて欲しい家具が買えないのを見ると、仕入れ値をすべて記憶していた彼女は利益を度外視して割り引きしていた。

しかし、その客は必ず戻ってきた。人々は結婚式、出産、昇進と何かお祝いがあると店で買い物をするようになった。一度ミセスBの店で買い物をしたことがあるオハマの住人は、引っ越ししたり子どもが独立したりするときは必ず戻ってきた」

彼女の会社に対してバフェットは買収のやり方は次のようなものでした。

「買収に先立って、バフェットは店の納税状況を調べた。税引き前利益は年一五〇〇万ドルだった。彼は、在庫、売掛金、所有資産など、通常すべき調査をいっさいしていなかった。家を買おうと考えている人なら、六〇〇〇万ドルでビジネスを買収しようとしているバフェットよりも多くの資料に目を通しただろう。彼の行動は奇異に見えるかもしれないが、ＪＰモルガンがいうように、ビジネスの意思決定は時と場合によるのである。もしバフェットがブラムキン・ファミリーを信用できないのであれば、投資することにはならなかっただろう。

バフェットはいつでもそんなに単純に考えていたのだろうか？　答えは、バフェットは何事につけて単純化の天才だったということである。買収を決めるのはそのビジネスが彼の心を捉えるものである必要がある」

もちろん、買収後も経営と営業のトップはミセスＢでした。

こうして、この会社はさらに成長し、バフェットも投資の価値を高めていったというのです。

世界一の投資家でコカ・コーラやアメリカン・エキスプレスやディズニーなどの株を所有し、ビル・ゲイツと並ぶ大富豪のウォーレン・バフェットですが、ビジネスの進め方、考え方は単純で、大いに私たちを納得させるものです。

お客様は人生のパートナーである

「村上はいつもお客様と会っていて、よくストレスが溜まらないな」という質問を受けることがあります。

しかし、おそらく私にもストレスはあるのではないかと思います。ただそのストレスをうまくよい方向に活用していっているのだといいように考えています。

私は俗に言う「社会の成功者」と見られる人たちと多くつき合っています。そういう人たちと接触する割合が高いのです。実は、その方たちの多くがストレスや人間関係、特に家族友人関係に悩みを抱えています。私は、誠心誠意その話を聞いて親身になっていっしょに考えますので、自分の悩みやストレスが大したことないと思ってしまう訳です。あんな立派な方が悩んでいたり、ストレスを抱えていたりするんだから、私なんかまだまだだなあ、と。

私にとってクライアント、お客様はまさに人生のパートナーです。そして師でもあります。お客様の話を聞くことで、お客様のストレスを和らげてあげられるうえに、私は多くを学び、もっとやらないとお役に立てないと勇気づけられるのです。

「80対20の法則」で有名なリチャード・コッチはおもしろいことを述べています。それは成功者になればどうしてもやっかいな問題を抱えているものだということです。

「仕事で成功すれば、それだけ厄介なことが増える。成功するには、トップを目指さなければならない。トップに立つには、自分で会社をつくる必要がある。テコの力を最大限に活用するには、たくさんの人を雇わなければならない。ビジネスの価値を最大化するには、他人の金を使い、資本のテコの力を利用しなければならない。そうしなければ会社は大きくならないし、利益は増えない。人脈は広がっていくが、友人や家族とすごす時間は減っていく。成功に酔いしれると、人生でいちばん大切なものを見失うことが多い」

（『人生を変える　80対20の法則』阪急コミュニケーションズ）

そしてリチャード・コッチは、次のような習慣を持つことを提唱しています。

①幸福な一日を送るのに欠かせないのが運動である。毎日運動する習慣、汗を流す習慣を持つ

②知的な遊びをする。本を読んだり、知的な友人とおしゃべりをしたり、日記、エッセイなどを書くなど頭を使ってみる

③こころの刺激をする。コンサート、美術館、映画館、夕日や星を眺める。野球場に行くなど

④他人のために何かをやること。ちょっとした親切でもよい

⑤友人と息抜きをする。散歩したり食事したりする。これは三十分でもよい

⑥自分をもてなす。自分の好きなこと、楽しいと思うことのリストアップをつくり、毎日少なくとも一回自分を喜ばす

⑦自分を祝福する

なるほどと思う内容です。これらの習慣を参考にしてみて、自分なりの人生の楽しみ方を確立されることをおすすめします。それと同時に、どうせ仕事で成功していくのなら、一番大事なお客様と人生を楽しむことも考えてみるべきだと思うのです。お客様自体がストレスになっているのを放っておくのは、結局、人生をつまらないものにします。お客様は人生のパートナーであり、ある時は家族、ある時は親友、そしてある時は先生としてい

きたいのです。

そうすることでストレスは逆に、人生にとって欠けがえのないエネルギーへと変換していきやすいのではないでしょうか。

先にバフェットとミセスBのことを紹介しましたが、競争し合うより仲間になった方がどれだけストレスをなくし、有益かということです。彼らもそれぞれが人生のパートナーと考えたはずです。私も、こうしたお客様を人生のパートナーとし、より楽しい、よりグロースマインドのある仕事と人生を送っていこうと思っています。

あとがきにかえて――勝ち続ける相手は己の弱気である

潮目の変わるとき、それは経験のない不安やストレスを覚えるときと言い換えられるでしょう。

「たかが仕事、されど仕事」

どうやら日本人はたかが仕事という気持ち0・5％、されど仕事という気持ち99・5％で突き進んできたよう思います。

これを、「たかが仕事七割・人生やらないで失敗するか、やって失敗するかのどちらかだ。まかり間違って成功したらそれはツイていたんだ」ぐらいの気持ちでオールを漕いでいけばいいような気がします。

漕ぎ疲れたら、仲間がいます。パートナーがいます。大丈夫です。

最後になりましたが、出版、執筆にあたり多大なるご尽力を頂いた総合法令出版の仁部亨社長本当に有難うございました。

また毎日、原稿の進捗をチェックし、穏やかに、時には涙ぐみながら、しかし絶えず僕が病床のときも執筆を急ぐよう圧力をかけてくれた関俊介さんどうも有難うございました。お二人に対し心より感謝したいと存じます。仁部社長は小生のようなものの持論を真摯に受け止めて頂きました。

関さんには、そのタイトルだけはご勘弁をとの願いも聞き入れてくれず、ビジネスで試行錯誤の連続男の小生に「ビジネスで勝ち続ける男の思考法」なるタイトルを付けて頂きました。

本書の出版は身に余る光栄であり、お二人のお気持ちに御礼の言葉もございません。お二人には大好きな人間と仕事することが一番ストレスのないやり方だと痛感させてくれました。もちろん、本書の執筆の過程でお世話になった人はまだまだ多く、ここにあげることはできませんが様々な側面で支えて頂いたことに深く感謝しております。

勝ち続けるとは他人や同業に勝つのではなくて、へこたれそうになる自分に勝ち続けることなのです。

貴方様が将来において「もう俺は、ついに万策尽きたか」などの弱音を吐きそうになったとき、ヘロヘロの気分になったとき、希望の光を見失なわない一助になれば望外の幸せと存じます。

最後までお読み頂き誠に有難うございました。

平成二十年三月吉日

村上力

村上力（むらかみ ちから）

ハートアンドブレインコンサルティング株式会社代表取締役。

1968年、千葉県に生まれる。東海大学法学部卒。英国国立ウェールズ大学経営大学院MBA（経営学修士）修了。

新日本証券（現新光証券）を経て、エートス・キャピタルマネジメント代表取締役社長に就任。同社退社後、株式会社日本未公開企業研究所主席研究員、米国大手プライベート・エクイティ・ファンドのジェネラルパートナーであるウエストスフィア・パシフィック社東京事務所ジェネラルマネジャーを経て、ハートアンドブレインコンサルティング株式会社を創業。現在、同社代表取締役社長。

著書に、『人を動かすお金を動かす』（総合法令出版）、『サーバント・リーダーシップ論』（宝島社）、『ビジネスは人なり投資は価値なり、ウォーレン・バフェット』（監訳 総合法令出版）などがある。

視覚障害その他の理由で活字のままでこの本を利用出来ない人のために、営利を目的とする場合を除き「録音図書」「点字図書」「拡大図書」等の製作をすることを認めます。その際は著作権者、または、出版社までご連絡ください。

ビジネスで勝ち続ける男の思考法

2008年4月8日　初版発行

著　者　　村上　力
発行者　　仁部　亨
発行所　　総合法令出版株式会社
〒107-0052　東京都港区赤坂1-9-15
日本自転車会館2号館7階
電話　03-3584-9821㈹
振替　00140-0-69059
印刷・製本　中央精版印刷株式会社

©Chikara Murakami 2008 Printed in Japan
ISBN978-4-86280-062-6

落丁・乱丁本はお取替えいたします。
総合法令出版ホームページ　http://www.horei.com